인생이 즐거워지고 비즈니스가 풍요로워지는
SNS소통연구소 교육 소개

▶ SNS소통연구소는 2010년 3월부터 뉴미디어 마케팅 교육(스마트폰, SNS마케팅, 유튜브 크리에이터, 프리젠테이션, 컴퓨터 활용 등)을 진행해오고 있으며 3,200여 명의 스마트폰활용 지도사를 양성해오고 있으며 전국 74여 개의 지부 및 지국을 운영 해오고 있습니다.

▶ **교육 문의** : 010-9967-6654 / 010-9793-3265   ▶ **이메일** : snsforyou@gmail.com

현재 전국에 수백 명의 스마트폰 활용지도사 자격증을 취득한 뉴미디어 마케팅 전문 강사들이 강사로 활동 중에 있습니다.

▶ 스마트폰 활용지도사 2급 및 1급 자격증
- 스마트폰 기본 활용부터 스마트폰 UCC, 스마트폰 카메라, 스마트워크, 스마트폰 마케팅 교육 등 스마트폰 전문강사를 양성하고 있습니다.

▶ 유튜브 크리에이터 전문지도사 2급 및 1급 자격증
- 유튜브 기본 활용부터 실전 유튜브 마케팅까지 실질적으로 도움이 되고 돈이 되는 교육을 실시하고 있습니다.

▶ SNS마케팅 전문지도사 2급 및 1급 자격증
- 다양한 SNS채널을 활용해서 고객을 유혹하고 매출을 증대시킬 수 있는 실전 노하우와 SNS마케팅 효과를 극대화하기 위한 광고 전략 교육을 하고 있습니다.

▶ 프리젠테이션 전문지도사 2급 및 1급 자격증
- 기업체에서 발표자료를 만들거나 제안서를 만들 때 꼭 알고 활용해야 할 프리젠테이션 제작 노하우를 중점적으로 교육하고 있습니다.

▶ 스마트워크 전문지도사 2급 및 1급 자격증
- 스마트폰 및 SNS을 활용해서 실전에 꼭 필요한 기능과 업무효율을 높일 수 있는 노하우에 대해서 교육을 진행하고 있습니다.

▶ 디지털문해교육전문지도사 2급 및 1급 자격증
- 디지털 문해 교육 전문지도사가 초등학교부터 대기업 임원을 포함한 퇴직 예정자들까지 디지털 기술 활용에 대한 교육을 진행할 수 있도록 교육을 진행하고자 합니다.

책을 내면서...

이번에 출간하는 책은 14년 동안 스마트폰 교육, SNS마케팅 교육 및 뉴미디어 마케팅 교육 전문 강사 양성을 전문적으로 진행하고 있는 SNS소통연구소에서 발행하게 되었습니다.

SNS소통연구소는 2010년도부터 스마트폰 활용 교육과 SNS마케팅 교육 전문 강사를 전문적으로 양성 해오고 있습니다.

스마트폰 교육 전문가를 양성하기 위해서 2014년도에 국내 최초로 스마트폰 강사 자격증인 [스마트폰활용지도사] 교육을 통해 2023년 2월 현재 3,200명 이상이 자격증을 취득하셨고 수백 명의 강사들이 전국 각 기관 및 단체에서 활발히 활동 중에 있습니다.

SNS소통연구소 소속 강사들은 단순히 어르신들을 위한 스마트폰 활용 교육만 하는 것이 아니라 초등학교부터 대기업 임원분들까지 스마트폰 기본 활용부터 SNS마케팅 교육을 진행하고 있습니다.

SNS소통연구소에서 2023년도부터 스마트폰 고수되기 시리즈로 매월 책들이 출간되고 있는데 [스마트폰 고수되기 입문편]인 이 책의 장점 중에 하나가 전국에서 활동하고 있는 수백 명의 강사님들과 협의해서 목차를 정하고 함께 공저를 하게 되었다는 것입니다.

책 목차를 보시면 아시겠지만, 스마트폰 교육을 하면서 많은 수강생분에게 받은 질문들을 정리해서 목차를 정하게 되었습니다.

그만큼 수강생분들과 강사들에게 꼭 필요한 부분만 다루고 있다는 것입니다.

이 책은 스마트폰 활용에 관해서 관심 있는 일반 분들뿐만 아니라 스마트폰 활용 교육을 하시는 강사님들에게 꼭 필요한 책이라고 자부합니다.

요즘은 시니어 실버 분들도 스마트폰 활용에 대해서는 '유튜브'나 '블로그' 등에서 많은 정보를 참고해서 스마트폰 기본 활용은 어느 정도는 잘하시는 분들이 많이 계십니다.

하지만, 그래도 스마트폰 활용을 하다 보면 막히는 경우가 많고 많은 정보를 유튜브나 블로그 등에서 접하지만, 처음에는 잘 안되는 경우가 많습니다.

이 책을 보시면서 천천히 따라 하시다 보면 스마트폰에 대해서 궁금하거나 어려웠던 부분들이 어느 정도는 해결될 것입니다.

4차 산업혁명 시대, 디지털 전환의 시대에 스마트폰은 진정 소통의 도구이며 마술봉과도 같습니다.

이 책을 통해서 SNS 소통연구소가 항상 강조하고 있는 "스마트폰 제대로 배우고 익히면 인생이 즐거워지고 비즈니스가 풍요로워집니다!" 를 대한민국 국민 모두가 공감하고 제대로 스마트폰 활용을 하셨으면 하는 바람이 간절합니다.

★ 스마트폰 활용지도사 1급
- 해당 등급의 직무내용
초/중/고/대학생 및 성인 남녀노소 누구에게나 스마트폰 활용교육 및 SNS 기본 교육을 실시할 수 있습니다.
개인 및 소기업이 브랜딩 전략을 구축하는 데 있어 저렴한 비용을 들여 브랜딩 및 모바일 마케팅 전략을 구축할 수 있도록
필요한 교육을 할 수 있습니다.

★ 스마트폰 활용지도사 2급
- 해당 등급의 직무내용
시니어 실버분들에게 스마트는 활용교육을 실시할 수 있습니다. 개인 및 소기업이 모바일 마케팅 전략을 구축하는데 있어
기본적인 교육을 할 수 있습니다. 1인 기업 및 소기업이 스마트워크 시스템을 구축하는데 제반 사항을 교육할 수 있습니다.

★ 시험 일시 : 매월 둘째 주, 넷째 주 일요일 5시부터 6시까지 1시간
★ 시험 과목 : 2급 - 스마트폰 활용 분야 / 1급 - 스마트폰 SNS마케팅
★ 합격점수 : 1급 - 80점 이상(총 50문제 각 2점씩 100점 만점에 80점 이상
　　　　　　　　주관식 10문제 포함)
　　　　　　 2급 - 80점 이상(총 50문제 각 2점씩 100점 만점에 80점 이상)

★ 시험대비 공부방법
1. 스마트폰 활용지도사 2급 교재 구입 후 공부하기
2. 정규수업 참여해서 공부하기
3. 유튜브에서 [스마트폰 활용지도사] 채널 검색 후 관련 영상 시청하기

★ 시험대비 교육일정
1. 매월 정규 교육을 SNS소통연구소 전국 지부에서 실시하고 있습니다.
2. 스마트폰 활용지도사 SNS소통연구소 블로그
   (blog.naver.com/urisesang71) 참고하기
3. 소통대학교 사이트 참조 (www.snswork.com)
4. NAVER 검색창에 (SNS소통연구소)라고 검색하세요!

★ 시험 응시료 : 3만원
★ 자격증 발급비 : 7만원

1. 일반 플라스틱 자격증.
2. 종이 자격증 및 우단 케이스 제공.
3. 스마트폰 활용지도사 강의자료
   제공비 포함.

★ 스마트폰 활용지도사 자격증 취득 시 혜택
1. SNS 상생평생교육원 스마트폰 활용 교육 강사 위촉
2. SNS소통연구소 스마트폰 활용 교육 강사 위촉
3. 스마트 소통 봉사단에서 교육받을 수 있는 자격부여
4. SNS 및 스마트폰 관련 자료 공유
5. 매월 1회 세미나 참여 (정보공유가 목적)
6. 향후 일정 수준이 도달하면 기업제 및 단체 출강 가능
7. 그 외 다양한 혜택 수여

유튜브 크리에이터 전문 지도사 시험

매월 1째,3째 일요일
오후 5시부터 6시까지

유튜브 크리에이터 전문 지도사가
즐거운 대한민국을 만들어갑니다!

- **자격명 : 유튜브 크리에이터 전문 지도사 2급 및 1급**

- **자격의 종류 : 등록(비공인) 민간자격**

- **등록번호 : 제 2020-003915 호**

- **자격 발급 기관 : 에스엔에스소통연구소**

- **총 비용 : 100,000원**

- **환불규정**
  ①접수마감 전까지 100% 환불 가능(시험일자 기준 7일전)

  ②검정 당일 취소 시 30% 공제 후 환불 가능

- **시험문의**
  SNS 소통연구소 이종구 소장 : 010-9967-6654

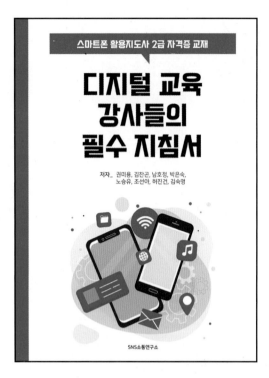

디지털 교육 강사들의 필수 지침서
(스마트폰 활용지도사 2급 교재)

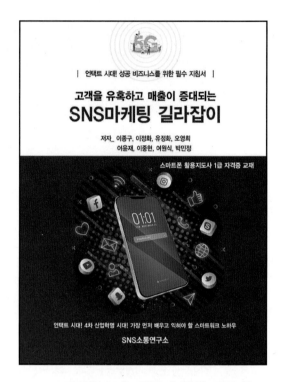

SNS마케팅 교육 전문가 양성 과정 책
(스마트폰 활용지도사 1급 교재)

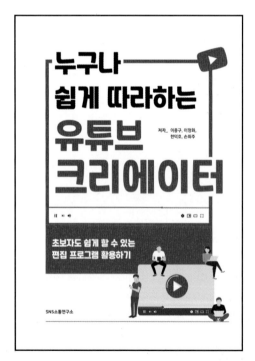

UCC제작과 유튜브 크리에이터
양성을 위한 책
(유튜브 크리에이터 전문지도사
2급 및 1급 교재)

스마트한 강사를 위한 길라잡이
(컴퓨터 활용 전문지도사 2급 교재)

SNS소통연구소 지부 및 지국 활성화

2010년 4월부터 교육을 시작한 SNS소통연구소는
현재 전국에 74여 개의 지부 및 지국을 운영 중

 스마트폰 활용지도사
(국내 최초! 국내 최고!)

2014년 10월 스마트폰 활용지도사 민간 자격증 취득
2급과 1급 과정을 운영 중이며 현재 3,200여 명 이상 지도사 양성

 실전에 필요한 전문 교육
(다양한 분야 실전 교육 중심)

일반 강사들에게도 꼭 필요한 전문 교육을 실시함
(SNS마케팅, 스마트워크, 프리젠테이션, 컴퓨터 활용 등)

 SNS소통연구소 출판사

2011년 11월부터 SNS소통연구소 출판사 운영
스마트폰 활용 및 SNS마케팅 관련된 책 43권 출판
강사들에게 필요한 다양한 분야의 책을 출간 진행 중

◆ 뉴미디어 마케팅 교육 문의
(스마트폰 활용, SNS마케팅, 유튜브 크리에이터, 프리젠테이션, 컴퓨터 활용 등)

▶ SNS소통연구소 직통전화 : 010-9967-6654

▶ 소통대학교 직통전화 : 010-9793-3265

**지역사회 발전을 위해 사회복지사처럼
스마트폰활용지도사가 필요합니다!**

▶ 사회복지사란? 청소년, 노인, 가족, 여성, 장애인 등 사회적 약자에 대한 복지 정책 및 공공 복지
   서비스가 증대함에 따라 사회적인 문제로 어려움을 겪는 이들을 돕는 직업

▶ 스마트폰활용지도사란? 개인이 즐거운 인생을 살아가는 데 도움을 드리고 소상공인들에게
   풍요로운 비즈니스를 할 수 있도록 도움을 드리는 직업

스마트폰 활용지도사가 디지털 문맹 퇴치 운동에 앞장서고 즐거운 대한민국을 만들어가는데 초석이
되었으면 합니다.

SNS소통연구소 전국 지부 봉사단 현황

서울/경기북부	울산지부	부산지부
스마트 소통 봉사단	**스폰지**	**모바일**
2018년 6월부터 매주 수요일 오후 2시부터 5시까지 스마트폰 활용지도사들이 소통대학교에 모여서 강사 트레이닝을 목적으로 운영되고 있음 (기관 및 단체 재능기부 교육도 진행)	매월 정기모임을 통해서 스마트폰 활용지도사의 역량개발과 지역주민들을 위해 스마트폰 활용 교육 봉사활동 진행	모든 것이 바라는 대로 이루어집니다! 매월 정기모임을 통해서 스마트폰 활용지도사의 역량개발과 지역주민들을 위해 스마트폰 활용 교육 봉사활동 진행
제주지부	**경기남부**	**경북지부**
제스봉	**경기남부지부스마트봉사단**	**스소사**
제주도 스마트폰 봉사단 매월 정기모임을 통해서 스마트폰 활용지도사의 역량개발과 지역주민들을 위해 스마트폰 활용 교육 봉사활동 진행	매월 정기모임을 통해서 스마트폰 활용지도사의 역량개발과 지역주민들을 위해 스마트폰 활용 교육 봉사활동 진행	'스마트하게 소통하는 사람들' 경북지부 스마트폰 봉사단 매월 정기모임을 통해서 스마트폰 활용지도사의 역량개발과 지역주민들을 위해 스마트폰 활용 교육 봉사활동 진행
전라남도	**경기북부**	**경기동부**
SNS소통연구소 전남스마트봉사단	**펀펀스마트봉사단**	**스마트 119 봉사단**
매월 정기모임을 통해서 스마트폰 활용지도사의 역량개발과 지역주민들을 위해 스마트폰 활용 교육 봉사활동 진행	'배우면 즐거워져요~' 경기 북부 스마트폰 봉사단 매월 정기모임을 통해서 스마트폰 활용지도사의 역량개발과 지역주민들을 위해 스마트폰 활용 교육 봉사활동 진행	'스마트한 사람들이 모여 지역주민들의 스마트한 인생을 도와드리는 봉사단' 매월 정기모임을 통해서 스마트폰 활용지도사의 역량개발과 지역주민들을 위해 스마트폰 활용 교육 봉사활동 진행

SNS소통연구소 출판 리스트 42권
(2023년 2월 기준)

SNS소통연구소 전국 지부 및 지국 현황

서울 (지부장-소통대)	강남구 (지국장-최영하)	강서구 (지국장-문정임)	관악구 (지국장-손희주)	광진구 (지국장-서순례)	강북구 (지국장-명다경)	강동구 (지국장-윤진숙)
	노원구 (지국장-전윤이)	동작구 (지국장-최상국)	동대문구 (지국장-김종현)	도봉구 (지국장-오영희)	마포구 (지국장-김용금)	송파구 (지국장-문윤영)
	서초구 (지국장-선수옥)	성동구 (지국장-이명애)	성북구 (지국장-조선아)	양천구 (지국장-송지열)	용산구 (지국장-최영옥)	영등포구 (지국장-김은정)
	은평구 (지국장-노승유)	중구 (지국장-유화순)	중랑구 (지국장-정호현)	종로구 (지국장-김숙명)	구로구 (지국장-박정옥)	
경기북부 (지부장-이월례)	의정부 (지국장-한경희)	양주 (지국장-유은서)	동두천/포천 (지국장-김상기)	구리 (지국장-김용희)	남양주시 (지국장-정덕모)	고양시 (지국장-백종우)
경기동부 (지부장-이종구)	성남시 (지국장-노지영)	경기서부 (지부장-이종구)	안양/과천 (지국장-곽문희)	시흥시 (지국장-윤정인)	부천시 (지국장-김남심)	
경기남부 (지부장-이중현)	수원 (지국장-권미용)	이천/여주 (지국장-김찬곤)	평택시 (지국장-현영훈)	안성시 (지국장-허진건)	화성시 (지국장-한금화)	
인천광역시 (지부장-김미경)	서구 (지국장-어현경)	남동구 (지국장-장선경)	부평구 (지국장-최신만)	중구 (지국장-조미영)	계양구 (지국장-전혜정)	
강원도 (지부장-장해영)	강릉시 (지국장-임선강)	대전광역시 (지부장-유정화)	중구/유성구 (지국장-조대연)	충청남도 (지부장-김미선)	청양/아산 (지국장- 김경태)	금산/논산 (지국장-부성아)
광주광역시	북구 (지국장-김인숙)	제주도 (지부장-여원식)		전라북도 (지부장-송병연)		
부산광역시 (지부장-손미연)	사상구 (지국장-박소순)	해운대구 (지국장-배재기)	기장군 (지국장-배재기)	연제구 (지국장-조환철)	진구 (지국장-김채완)	
전라남도 (지부장-강영옥)		대구광역시 (지부장-임진영)	수성구 (지국장-김기연)	경상남도	양산시 (지국장-한수희)	
경상북도 (지부장-남호정)	고령군 (지국장-김세희)	경주 (지국장-박은숙)	구미 (지국장-정사랑)			
울산광역시 (지부장-김상덕)	동구 (지국장-김상수)	남구 (지국장-박인완)	울주군 (지국장-서선숙)			

CONTENTS

CONTENTS

나만 몰랐던 스마트폰 활용 꿀팁

CONTENTS

1. 스마트폰을 제대로 배우고 익혀야 하는 이유?

전 세계 유명한 경제학자들이 연구한 바에 의하면 인구 5천만 명을 기준으로 볼 때 100만 명 이상이 사용하면 패션(Fashion)이고, 500만 명 이상이 사용하면 트렌드(Trend)고, 1,000만 명 이상이 사용하면 문화(Culture)라고 합니다.

패션이나 트렌드는 바뀔 수 있지만, 문화는 쉽게 바뀌지 않습니다. 이제 스마트폰은 문화이며 필수로 제대로 배우고 익혀야 할 도구입니다.

2022년 말 기준 대한민국 국민 수는 5,162만 명이고 스마트폰 개통 대수는 7,160만 대입니다.

나만 모르는 스마트폰 활용편

대한민국 국민
5,162만명 기준

100만명 이상이 사용하면
Fashion(패션)

**2022년 현재
이동전화 가입자수 7,160만대**

500만명 이상이 사용하면
Trend(트렌드)

1,000만명 이상이 사용하면
Culture(문화)

스마트폰이 문화인 현재의 세상을 '포노사피엔스' 시대라고 합니다!
2016년 영국 이코노미스트에서 처음 사용한 단어로 '포노는 라틴어로 폰을 들고 사는 사람', '사피엔스는 라틴어로 슬기로운 인류'를 뜻합니다. 정리하면 현재의 인류를 '포노사피엔스'라고 합니다.

스마트폰을 스마트하게 사용하면 '포노사피엔스'라고 하고 핸드폰으로만 사용하면 '호모사피엔스'(생각하는 인류)인 것입니다.

PHONO   SAPIENS

포노 사피엔스

- 스마트폰이 낳은 신인류
- 스마트폰이 신체의 일부인 사람들

대한민국 4인 가족 기준으로 한 달 통신비 지출(5G)이 얼마나 될까요?

30만 원입니다.
1년에 360만 원입니다. 결코 적은 돈이 아닙니다.
하지만, 대한민국 스마트폰 사용자 그 누구도 스마트폰 통신사나 제조사에게 스마트폰 활용 교육을 해달라고 요구하는 사람은 아무도 없습니다.

왜 그럴까요?
대부분 사람들은 그냥 스마트폰을 핸드폰으로만 사용하는 경우가 많기 때문일 것입니다.

지역 주민 센터에서도 스마트폰 활용 교육을 하는 곳은 거의 없는 게 현실입니다.
기존의 구청 단위 공공기관 평생학습센터에서는 분기별로 스마트폰 활용 교육을 하고 있지만, 지역의 주민 센터 학습센터에서는 일반 교육(외국어 교육 등)은 하고 있지만, 스마트폰 활용 교육은 하고 있지 않습니다.
만약에 수요조사를 해본다면 지역주민 중에서 시니어 실버들의 경우 스마트폰 활용 교육이 최우선일 것입니다.

코로나 시대! 팬데믹 시대에는 더욱더 스마트폰 활용 교육이 절실한 시대입니다.
대부분 성인들은 학생 및 젊은 분들은 스마트폰 활용은 다들 잘하고 있다고 생각하지만, 실제는 그렇지 않습니다.

젊은 분들의 경우 자신이 필요한 건 네이버나 유튜브에서 검색해서 활용하고 있지만, 실제 스마트폰이나 SNS 도구들을 활용하면 어떤 장점이 있고 어떻게 일의 효율성과 효과성을 극대화할 수 있다는 것은 잘 모르고 있습니다.

가장 큰 이유는 학교에서나 사회 교육기관에서 제대로 스마트폰이나 SNS 도구에 대해서 제대로 가르쳐주는 곳이 없기 때문입니다.

스마트폰 및 SNS 도구 활용에 대해서 가장 먼저 배우고 익혀야 할 당사자는 평생 교육하는 기관의 교육을 기획하는 담당자들입니다.
하지만, 실질적으로 교육을 하는 사람이나 기획하는 사람이 활용에 대해서 제대로 모르니 그냥 과거의 방식대로 기존 교육을 계속해나가고 있는 것입니다.

이제는 스마트폰 및 SNS 도구 활용을 배울지 말지 고민하는 것이 아니라 개인들은 스마트폰을 제대로 배우고 익혀서 가족 간, 세대 간의 원활한 소통으로 인해 즐거운 인생을 살아가고, 비즈니스 하시는 분들은 더욱더 하는 일의 생산성을 높이고 풍요로운 비즈니스 결과를 만들어 내야 할 것입니다.

가족 간, 직원 간의 원활한 소통을 위해서라도 스마트폰 활용 제대로 배워야 합니다.

스마트폰 활용이 문화로 자리 잡은 요즘 시니어 실버들의 경우 용어 자체가 생소하다 보니 접근성이 너무 낮아 소통하는데 어려움을 많이 겪고 있습니다.
과거에는 운전면허 연습은 가족 간에 하면 싸움만 난다고 했습니다. 요즘은 스마트폰이 그렇습니다. 스마트폰에 대해서 시니어 실버분들이 물어보고 하면 자식들은 "바빠요!" 하고 피하고 손주들은 "일전에 알려드렸잖아요" 하고 피한답니다. 궁금해도 자존심 때문에 어디 물어볼 데도 마땅치 않은 게 현실이기도 합니다.

스마트폰 제대로 배우고 익히면 세대 간의 소통도 원활해질 것입니다. 소통이 원활하지 않으면 불통이 되고 불통이 반복되면 먹통이 되고 맙니다. 진정 스마트폰 활용 교육은 가족 간의 소통을 위해서라도 꼭 필요한 교육입니다.

나이가 많다고 해서 스마트폰 활용을 못 하는 건 아니지만, 현재 50세 이상 기준으로 보면 스마트폰 기계 활용에 대해서 잘 못 하시는 분들이 상당히 많이 있습니다. 앞으로의 부국은 자원이 많은 나라보다도 국민 개개인의 지식수준이 높은 나라가 부국이라고 합니다.
스마트폰은 제2의 두뇌라고 합니다. 진정 스마트폰 제대로 배우고 익혀서 디지털 문맹 인구가 줄어들면 자연히 대한민국의 지식수준이 올라가고 부국이 되는데 초석이 될 것입니다.

어르신들의 경우 처음에 수업받으실 때 다들 어려워하십니다. 어려워하는 게 당연한 일일 것입니다.
60~70년 이상을 기계와 별로 친하지 않게 살아왔고 스마트폰 용어는 생소한 단어라 어려워하는 게 당연한 일입니다.

하지만, 몇 번 반복해서 하다 보면 기본적인 스마트폰 활용은 어렵지 않게 하시게 됩니다.

실례로 2017년 6월 16일부터 하루에 2시간씩 15회를 서울 노원구에 있는 한 노인복지관에서 스마트폰 기초 교육을 시행하였습니다. 14분이 수강하시는데 평균연령 74세였습니다.

처음에는 문자 보내는 것도 힘들어하시고 카카오톡에서 사진 보내는 것도 잘 모르시던 분들이 6개월 정도 기간이 지나니까 자판 사용하는 게 어려워 문자도 안 보내고 하시던 분들이 지금은 음성으로 문자도 보내시고 카카오톡 채팅도 즐겁게 잘하십니다.
카카오페이를 간단히 등록해서 카카오톡에서 손주나 자식들에게 용돈도 보내고 선물도 간단하게 보내니 가족분들이나 주변 친구분들이 놀라워한다고 합니다.
단체방에서도 직접 촬영한 사진 위에 좋은 글이나 명언들을 입력해서 보내고, 친구들과 촬영한 사진으로 이미지 합성을 멋지게 하셔서 친구들과 공유하시고 영상 편지도 직접 만들어서 가족 및 지인들과 공유하고 즐거움을 나눠 갖고 있습니다.

현재 전국 노인복지관 등 공공기관에서 스마트폰 활용 교육을 받으시는 70대, 80대 노인분들도 몇 번 반복해서 실습해보시면 어느 정도 따라와 주시고 지금은 저희 스마트폰 활용지도사 선생님들한테 즐거운 인생을 살게 해줘서 고맙다고 볼 때마다 말씀해 주시고 카톡이나 문자로 "감사합니다" "사랑합니다"를 보내주고 계십니다.

이처럼 스마트폰 활용은 처음에 뭐가 뭔지 잘 몰라서 스마트폰 사용을 못 하지만 조금만 배우고 익히시면 혼자서도 충분히 궁금한 점을 찾아서 하실 수 있습니다.

앞으로의 부국(富國)은 자원이 많은 나라보다도 국민 개개인의 지식수준이 높은 나라가 부국이 된다고 합니다.
대한민국의 발전을 위해서, 가족 간의 소동을 위해서, 조직의 발전을 위해서라도 스마트폰 제대로 배우고 익히셔야 할 것입니다.

앞으로 치명적인 병에 걸리지 않는 이상 누구나 100년을 사는 세상이 되었습니다.

그러나 우리는 100세의 삶이 어떤지, 어떤 미래가 도래할지 제대로 알지 못합니다.

과연 100세 시대는 우리에게 어떤 세상을 열어 줄 것인가?

지금 나이가 70이어도 앞으로 최소 30년 이상을 더 사실 수 있습니다.
시니어 실버들이 스마트폰 제대로 배우고 익혀서 실생활에 활용해본다면 지금보다 더 즐겁고 행복한 인생을 살아가는 데 많은 도움이 될 것입니다.
아주 늦은 나이에 도전해 큰 성공을 이룬 사람들 영상을 보시고 현재의 삶에 만족하지 마시고 자신이 하고 싶은 일을 하시면서 인생 2막 살아가시면 하는 바람입니다.

1. 스마트폰이란?

■ 스마트폰 (SmartPhone)

1) 휴대전화에 여러 컴퓨터 지원 기능을 추가한 지능형 단말기로 시간과 공간의 제약 없이 통화기능은 물론 TV, 동영상 제작, 카메라, 팩스, 캠코더, MP3 기능까지 갖추고 있어 "다기능 지능형 복합 단말기"라고도 불립니다. 최근에는 AI 기능에 사물 인식 기능, 번역은 물론 다양한 앱을 통해서 비즈니스에도 상용되고 있습니다.

2) 컴퓨터[운영체제]와 비슷한 모바일[운영체제]가 설치되어 있으며, 다양한 프로그램 [애플리케이션]을 설치하여 사용할 수 있습니다.

※ [운영체제] : 컴퓨터의 하드웨어(기기)와 소프트웨어(프로그램)를 제어하여 사용자가 컴퓨터를 쓸 수 있게 만들어 주는 프로그램

※ [애플리케이션] : 앱 또는 어플이라고 말하기도 한다. 스마트폰이나 컴퓨터에서 특정한 기능을 사용할 수 있도록 만들어진 프로그램

3) 전화와 문자는 기본이고 음악, 카메라, 인터넷, 게임, 채팅, 사진, 영상, 메일, 날씨, 지도, 내비게이션, 일정표, 파일 공유 등 인공지능 음성 서비스까지 수많은 기능을 사용할 수 있습니다.

■ 스마트폰의 특징

1) 크기가 작아 휴대하기 편하다.
2) 사용법이 간단하다.
3) 언제 어디서나 인터넷을 연결할 수 있다.
4) 와이파이(Wi-Fi)를 사용하여 무료로 인터넷을 사용할 수 있다.
5) 생활에 편리한 프로그램이 많아서 유용하다.
6) 각자 분야에 맞는 앱을 사용하여 일상의 활용도가 높다.
7) 다양한 앱을 설치하고 삭제하기가 쉽다.
8) 화면구성을 원하는 대로 설정할 수 있다.
9) 데이터 사용량이 제한된 용량을 초과할 경우 추가 비용을 부담해야 한다.
10) 다양한 센서 기술(카메라, 가속도 센서, GPS, 조도센서, 근접센서... 등) 운영체제 및 앱을 쉽고 빠르게 업데이트할 수 있다.

■ 구글 플레이 스토어 (Google Play Store)

1) 안드로이드 기반의 스마트폰에 기본적으로 설치돼 있는 앱으로 구글의 [디지컬 컨텐츠 서비스 제품]을 인터넷을 통해 구입 후 바로 다운로드 받아서 사용하는 방식의 앱 스토어입니다.
단, Chrome과 크롬 OS용으로 쓰는 '크롬 웹스토어'와는 달리 안드로이드용 ESD.
쉽게 말해서 안드로이드 판 앱 스토어라 할 수 있으며 전 세계에서 가장 많이 이용하는 스마트폰 앱 스토어입니다.

구글 로고 변화

2) 구글 플레이 스토어 이용 종류

수백만 개의 최신 안드로이드 앱, 구글TV, 구글북, 게임, 음악, 영화, TV, 구글뉴스, YouTube Music의
[유료 / 무료]앱을 이용 가능합니다.

3) 구글 플레이 스토어 결제수단

신용카드, 체크카드, 기프트카드, PAYCO포인트, 카카오페이머니, 토스결제, 네이버페이포인트, NHN
KCP계좌결제, 휴대폰소액결제로 가능합니다.

■ MVNO (Mobile Virtual Network Operators)

1) 주파수를 보유하고 있는 이동통신망 사업자(MVNO)로부터 통신망을 임대하여 독자적인 이동통신 서비스를 제공하는 가상 이동통신망 사업자를 말합니다. 흔히 알뜰폰이라고도 불립니다.
기존 이동통신사(SKT, KT, LGU+) 통신망을 빌려 통신서비스를 제공하여 저렴한 요금으로 사용할 수 있습니다.

2) 알뜰폰(MVNO)의 장/단점 및 업체 현황
  · 장점 : 저렴한 통신 요금, 사용 통신사(SKT→ 7모바일)에서 번호이동 가능함.
  · 단점 : 단말기 보조금 및 멤버십 혜택이 거의 없음, 고객센터 등 고객 지원이 미흡함.

[22년 5월 기준 알뜰폰 통신사]

■ 자급제폰

1) USIM 칩과 단말기 구매를 고객의 재량에 맡기는 제도입니다.
종전에는 USIM 칩과 단말기를 따로 사는 게 불가능했으나 개선되었으며, 개방형 IMEI(단말기 식별번호) 관리제도, 휴대폰 자급제, 블랙리스트제 등으로 불리고 있습니다.

2) 자급제폰은 디지털프라자, 하이마트, 온라인을 통해 기기만 구매해 통신사 약정 없이 KT 모바일, U+알뜰모바일, SK7 모바일, 헬로모바일 등 알뜰통신사 등을 이용해 통신비용을 저렴하게 사용할 수 있다는 장점이 있습니다.

■ 유심 = USIM (Universal Subscriber Identity Module)

1) 유심은 무선 통신 회선 가입자들의 식별 정보를 담고 있는 것으로, 일종의 모바일용 신분증이라 할 수 있습니다.

2) USIM은 가입자 식별을 위한 정보를 담고 있는 IC 카드로, 단말기 내부에 끼워 넣는 작은 카드를 말하는데, 새로운 단말기 구매 시 이전 단말기에 있는 USIM 카드를 바꿔 끼우면 개인 정보를 쉽게 이동시킬 수 있습니다.

3) USIM에는 가입자 식별 정보, 주소록, 금융 정보 등의 중요 정보를 담고 있을 뿐만 아니라 교통카드, 신용카드 등의 부가 기능을 제공합니다. USIM은 그 크기에 따라 미니 유심, 마이크로 유심, 나노 유심으로 구분되며, 단말기의 크기가 작아짐에 따라 최근 출시되는 스마트폰은 대부분 나노 유심을 사용합니다.

■ e심 = eSIM (embedded SIM)

1) 스마트폰 메인 보드에 내장된 심(SIM)으로 내장형 가입자 식별모듈이라고도 합니다.
e심은 사용자가 별도로 구입해 스마트폰에 삽입하는 물리적 형태의 기존 유심(USIM:사용자 개인 정보가 저장된 소형칩)과는 다르지만 e심과 유심의 기능은 동일합니다.
단말기고유식별번호(IMEI) 인증, 개인 정보 보관 등의 역할을 맡음. 다만 e심은 단말기에 내장돼 있어 탈부착이 불가능합니다.

2) 크기는 가로 6mm, 세로 5mm로 e심의 크기는 유심 중 가장 작은 나노심과 비교하면 3분의 1 수준입니다.

3) 2022년 9월부터 지원되는 e심은 온라인만으로 개통 가능하며 발급비용은 2,750원으로 USIM보다(7,700 ~ 8,800원) 저렴합니다. 하지만 이동통신사를 이용하면서 단말기만 교체(기기변경)하는 경우 USIM은 재사용이 가능하지만, eSIM은 현재 기술적 한계로 재다운로드가 지원되지 않아 추가 비용이 있습니다.

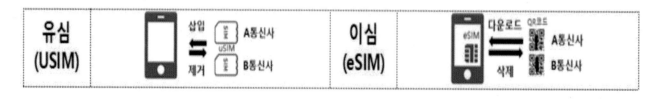

■ 데이터쉐어링 (One Person Multi Device)

1) 사용하고 있는 스마트폰 무제한 요금제에서 기본으로 제공하는 데이터를 추가 요금 없이 태블릿, 또는 다른 스마트기기와 나눠 쓸 수 있는 서비스입니다.

2) 이용요금 : 1~2회선 무료 / 3회선 7,000원 추가(부가세 별도)
예시) 데이터 맘껏 15GB+/100분 요금제(15GB+3Mbps 데이터 제공 요금제)를 사용한다면 15GB 내에서 LTE 속도로 데이터를 같이 쓸 수 있음. 15GB 초과 시 200kbps 속도로 차단 없이 사용가능함.

데이터 사용량이 많지 않아 별도로 요금 내기 부담스러운 유심 사용 기기와 연결

3) 사용 / 신청 방법

① 데이터쉐어링을 사용 가능한 요금제인지 확인.
② 엠모바일 유심칩을 준비.
③ 데이터쉐어링을 신청할 회선 정보를 넣고 데이터쉐어링 셀프개통 및 통신사 상담.
④ 신청 시 사용하고 있는 무제한 요금제와 같은 명의로 쉐어링 요금제에 가입/개통되며, 유심을 사용하고자 하는 기기에 꽂아 사용.

■ NFC (Near Field Communication)

1) 13.56MHz 대역의 주파수를 사용하여 약 10cm 이내의 근거리에서 데이터를 교환할 수 있는 비접촉식 무선통신 기술로서 스마트폰 등에 내장되어 NFC 기능이 있는 기기에 접촉하기만 해도 복잡한 설정 과정 없이 쉽고 빠르게 블루투스 연결도 가능합니다.
NFC를 활용하면 스마트폰으로 도어락을 간편하게 여닫을 수 있으며, 버스나 지하철 등 대중교통을 손쉽게 이용힐 수 있고, 구폰을 지장해 쇼핑에 활용하는 것도 가능합니다.

2) 스마트폰 NFC 활성화 방법 (안드로이드 11버전 / 메뉴는 스마트폰마다 다를 수 있음)

1 ① 스마트폰 화면 상단을 아래로 [드래그]합니다. **2** ② NFC를 [한번 선택]시 활성화가 됩니다.
3 ③ 활성화된 NFC를 [2초]간 눌러 주시면 NFC 및 비접촉 결제의 모드 선택도 가능합니다.

■ 선택약정

1) 공시지원금 대신 통신 기본요금의 25%를 할인받을 수 있는 제도를 말합니다.
즉, 단말기 가격을 할인받는 대신 요금 할인을 선택하는 것을 말하며 공시지원금을 받지 않았거나, 받았더라도 24개월이 지난 후 동일한 단말기를 사용하고 있는 경우 12개월 또는 24개월 약정 신청 시 가입 가능합니다.
이 제도는 2015년에 처음으로 도입되었으며 2017년 9월 할인율이 20%에서 25%로 상향되었습니다.

2) 선택약정할인 대상 확인 방법은 방송통신 이용자 정보 포털 '와이즈 유저'에서 확인 가능하고 가입 신청하고 싶은 경우 통신사 판매점 또는 가까운 대리점에 방문하시거나 통신사 홈페이지 및 고객센터에 문의하시면 됩니다.

■ 번호이동 (Mobile Number Portability)

번호이동은 기존에 사용하던 통신사에서 다른 통신사로 이동통신 회선을 이전하는 행위를 뜻합니다. 줄임말로 번이로 불리기도 합니다.
예로, SKT에서 핸드폰 번호 개통했지만, LG U+로 통신사를 바꿀 때, 통신사만 바뀌고 내 번호는 그대로 가져가는 것을 말합니다.
흔히들 하는 오해가 '번호이동을 하면 번호가 바뀐다' 인데 번호를 변경하지 않고 통신사만 옮긴다고 하면 이해가 되실겁니다. 참고로 번호를 바꾸는 것은 '번호변경'이라 합니다.

■ 기기변경 = 기변

기변은 기존에 사용하던 통신회사에 있는 이동통신 회선을 그대로 유지하면서 기존에 사용하던 단말기에서 새로운 기기로 바꾸어 개통하는 행위를 뜻합니다.
쉽게 말해서 사용하던 SKT통신사는 그대로 단말기는 신상품으로 바뀌어 개통하는 겁니다.
현재는 메이저 통신 3사의 경우 신규 고객을 유치하기보다는 기존 고객을 지키는 것이 더욱 이익이란 걸 깨닫게 됨에 따라 번호이동 혜택은 줄이고 기기변경에 따른 혜택을 늘리고 있다고 합니다.

■ 신규가입 = 신규

이동통신 업계에서 신규가입(약어로 신규)은 통신사에 신규가입하면서 이동통신 회선을 새롭게 만드는 것을 말합니다. 즉, 휴대폰의 사용 유무와 관계없이 새로운 번호로 구매하는 것을 뜻합니다.
우리나라의 스마트폰 보유는 세계 1위로 10명 중 9명은 스마트폰을 소유하고 있는데 기존의 이동통신 회선을 사용하면서 업무용 등 회선을 1개 더 개통하는 경우를 신규가입이라 할 수 있습니다.

■ 셀프개통

1) 통신사에 따로 방문할 필요 없이 핸드폰 번호를 직접 개통하는 방식을 셀프개통이라고 합니다. 최근 자급제폰을 사는 것이 보편화되어서 자급제폰과 알뜰폰 요금제로 쉽게 개통이 가능합니다.

2) 개통방법 : 제휴처 편의점이나 판매점, 온라인에서 유심칩을 구입해 KT, SKT, LG U+, 알뜰폰 요금제 홈페이지에서 유심을 등록하면 당일 개통하실 수 있습니다.

■ 유심기변

유심기변은 기존 스마트폰의 유심을 다른 스마트폰에 끼워서 사용하는 것입니다.
이때, 내 유심을 옮기는 다른 스마트폰 기기는 통신사 전산망에 등록이 불가합니다.
왜냐하면, 해당 스마트폰은 개통하고 약정을 걸어놓은 사람의 정보가 이미 통신사 전산망에 등록되어 있기 때문입니다. 쉽게 말하면, 스마트폰의 실소유자와 유심 소유자의 명의가 다른 것입니다.
내 정보를 통신사 전산망에 등록하려면 기존 사람의 약정이 끝나거나 위약금을 물고 해지를 한 공폰일 경우 가능합니다.
유심기변의 문제점은 명의가 내 명의가 아니라는 점인데 만약, 개통한 사람이 스마트폰 판매 후 악의적인 마음을 품고 분실신고 시 스마트폰이 정지될 수도 있습니다.

■ 확정기변

확정기변은 기존 스마트폰의 유심을 다른 스마트폰에 끼워서 사용하는 것입니다. 이때, 내 유심을 옮기는 다른 스마트폰 기기를 통신사 전산망에 등록하고 사용합니다.
즉, 스마트폰의 실소유자와 유심 소유자 명의가 동일하게 됩니다. 확정기변을 하기 위해서는 약정이 끝나거나 정상적으로 해지된 스마트폰에다가 유심을 끼워야 합니다.

구분	유심기변	확정기변
명의	유심과 단말기 소유자의 명의가 다름	유심과 단말기 소유자의 명의가 같음
통신사 전산망 여부	기기변경 신고 혹은 등록 불가	기기변경 신고 혹은 등록 가능
분실신고 여부	분실신고 불가	분실신고 가능
보험가입 여부	보험가입 불가	보험가입 가능
안전성	구매자 입장에서 불안함	구매자 입장에서 안전하게 사용가능

■ 해외로밍 (Overseas roaming)

해외로밍은 통신사업자끼리 국경을 넘어 서로의 이동통신망에 접속할 수 있는 제도를 말합니다. 흔히 로밍이라 함은 국내에서 쓰던 스마트폰 전화번호 그대로 해외에서도 사용 가능하게 해주는 서비스를 의미하는데, 음성 전화는 물론이고 문자메시지와 각종 데이터 송수신 서비스를 이용할 수 있습니다. 보통은 타 국가에 이동통신 회사의 통신망을 대여해서 이루어집니다. 서비스를 신청하지 않더라도 스마트폰이 알아서 컴퓨팅 애플리케이션 기능을 갱신하고 이메일을 수신해서 로밍이 되는 체계를 모르던 소비자들은 자동으로 로밍된 상태임을 모른 채 데이터 통신 요금이 비싼 국가에서 스마트폰을 켜두는 바람에 뜻밖의 요금폭탄을 맞는 경우가 많았습니다.

실제로 해외 로밍 관련 피해 민원이 많아 2013년부터 인천공항에서 로밍 피해 예방 캠페인을 펼치기도 했으며, 2018년 이후 통신사들이 경쟁적으로 데이터 로밍 요금제를 개편하면서 요금 부담이 줄어들었습니다.

■ IMEI (International Mobile Equipment Identity)

1) IMEI는 국제 휴대전화 식별번호란 뜻으로 제조사가 단말기를 제작할 때 부여하는 15자리 숫자로 된 번호를 말합니다. 이 번호는 단말기 제조사, 모델, 일련번호 등의 정보를 포함하고 있으며 주민등록번호와 같은 역할이라고 보면 됩니다. 듀얼 SIM이 탑재된 단말기의 경우 IMEI가 2개가 있게 됩니다. IMEI가 만들어진 이유는 WCDMA 환경에서 USIM 카드를 단말기에 삽입하는 것이 곧 개통을 의미하는 것이므로, 단말기 분실했을 경우 해당 단말기의 통신을 차단하기 위해 만들어진 번호입니다. 또한, IMEI를 이용하여 휴대폰의 분실, 도난 여부, 선택약정할인을 조회할 수 있습니다.

■ PASS 인증

1) PASS 인증은 공인인증서 제도가 폐지되면서 SKT, KT, LG U+ 통신 3사에서 제공하는 휴대전화 본인인증 간편 인증 서비스입니다.

공공기관의 각종 본인확인, 온라인 서류발급 신청, 금융거래, 계약서 전자서명에 이용되고 각종 본인확인 서류를 해당 앱에 저장할 수도 있습니다.

사용자의 개인정보를 한번 등록하면 별다른 인증 없이 편리하게 본인 인증을 진행할 수 있습니다.

2) 일반 문자 인증과는 달리 이름과 휴대폰 번호와 보안 숫자만 입력하면 되기 때문에 문자 인증보다는 조금 간편합니다. 단, 만 14세 미만 어린이는 보호자 동의 하에 이용 가능합니다.

■ 테더링 (Tethering)

테더링은 스마트폰의 부가기능으로서 스마트폰 자체가 무선 모뎀(modem, 변복조장치) 역할을 하는 기능을 말합니다.

테더(tether) 밧줄이라는 뜻이며, 테더링은 연결 밧줄 정도로 해석할 수 있습니다.

좀 더 자세하게 설명하면 스마트폰처럼 인터넷이 가능한 기기를 이용해, 다른 기기에도 인터넷에 접속할 수 있도록 해주는 기술이 테더링입니다.

USB 또는 블루투스(Bluetooth) 장치, Wi-Fi(무선랜) 등을 통해 휴대폰에 노트북·넷북·태블릿PC·데스크톱PC·전자책단말기·PDA 등 IT 기기들을 연결 함으로써 그 기기들에서 무선인터넷을 사용할 수 있는 기능입니다.

■ 데이터 핫스팟

1) 핫스팟이란 AP 주변의 통신이 가능한 구역을 말합니다. 그럼 데이터 핫스팟은 스마트폰 설정을 통해 와이파이와 같이 스마트폰을 공유기로 사용할 수 있는 기능을 말합니다.

주로 와이파이가 없거나 연결하기 어려운 환경에서 스마트폰에서 핫스팟을 설정하게 되면 주변의 태블릿, 노트북에서 와이파이 신호로 연결하여 인터넷을 사용할 수 있게 됩니다.

데이터 핫스팟은 비밀번호를 설정하여 나의 기기가 아닌 타인의 기기 연결 제한이 가능한데요. 이는 핫스팟으로 연결해서 사용되는 기기가 많아질수록 나의 데이터 사용량이 크게 늘어나기 때문입니다.

테더링	핫스팟
통신 가능한 기기를 다른 기기와 연결해 인터넷이 가능하도록 함	
개인 사용자에 초점 1:1연결 (블루투스 / USB)한 직접 통신	1:N의 다수 연결. 다수의 요청 기기에 무선 데이터 분배
인터넷 공유 허용 여부를 각 기기마다 매번 선택해야 함	핫스팟과 연결할 기기의 비밀번호를 설정해두면 연결 허용 여부는 필요하지 않음

■ 위젯(Widget)

사용자가 스마트폰에서 별도의 설치 및 웹브라우저 접속 없이도 날씨, 달력, 시계, 메모, 일정관리, 공지사항 등 각종 기능을 곧바로 볼 수 있도록 개발사에서 제공하는 한 서비스 도구 모음을 위젯이라 합니다.

스마트폰에서 위젯 기능을 다양하게 배치가 가능하고 사용의 편리성 이외에 최근에는 디자인적 요소도 많이 추가되고 있습니다.

■ 동기화

사전적 의미로 2개 이상의 제품을 적절한 방법으로 결합하고 제어해서 위상을 같게 하는 것을 '동기화'라고 말합니다. 최근 들어 스마트폰에서 자주 사용되는 말인데요.

예) 내 컴퓨터와 스마트폰이 있다고 할 때 둘의 사진과 영상자료를 서로 동일하게 만드는 작업을 '동기화'라고 합니다.

이처럼 '동기화'가 필요한 이유는 만약 내 컴퓨터가 고장으로 더 이상 자료 및 사용을 할 수 없을 경우 내 스마트폰과 '동기화'를 했으므로 둘 중 하나가 고장이 나더라도 자료를 스마트폰으로 자료를 찾아볼 수 있는 게 장점입니다. 이러한 과정을 '동기화'라고 합니다.

■ 해상도 (Resolution)

해상도는 이미지를 구성할 때 단위 면적에 몇 개의 화소(도트)가 있는지를 말하며, 800x600 해상도라는 것은 단위 면적 당 가로에 800개의 화소가 있고 세로에는 600개의 화소가 있다는 것입니다.

화소가 많으면 많을수록 더 세밀하게 이미지를 표현할 수 있습니다.

아래 이미지를 보면 해상도에 따라 'R'이 어떻게 표현되는지 볼 수 있습니다.

10 x 10보다 100 x 100 해상도에서 글자가 더 또렷하게 보입니다.

(해상도에 따른 이미지 표현. 출처 : 위키피디아)

■ 1G, 2G, 3G, 4G, 5G (Generation)

국제 전기통신 연합인증 통신기술을 말하며, 여기에서 G(Generation)는 이동통신의 세대를 말합니다. 통신기술 세대 1세대부터 5세대까지 나와 있으며 최근에는 6세대까지 실현 가능성이 보이고 있다고 합니다.

이동통신 기술의 변화로 1G까지는 아날로그 방식의 기술이었지만 2G부터는 디지털 방식의 이동통신으로 넘어갑니다. 2021년 6월 30일 자로 대한민국 및 해외에서도 모든 통신사에서 2G 서비스가 종료되었고, 3G부터는 더 빨라진 속도 덕분에 스마트폰으로 PC처럼 인터넷 사용이 가능해졌습니다. 4G 때부터 와이파이, 블루투스 등을 사용하기 시작하고 실시간 스트리밍도 가능해져 아프리카TV, 넷플릭스 등 OTT 산업이 발전하는 단초가 마련된 시기입니다.

5G는 4G보다 20배 정도 빠른 속도로 5G 기술은 이제 단순히 사람들 간의 스마트폰 통신에만 국한되지 않고 원격의료, 자율주행, 화상회의, VR, AR, 3D 홀로그램 등 다양한 분야의 필수적인 통신기술이 되었습니다.

세대	1G	2G	3G	4G	5G
데이터종류	아날로그	디지털			
서비스도입	1984~	1996~	2003~	2011~	2019~
속도	14.4Kbps	144Kbps	14Mbps	LTE	5G MR
단말기	벽돌폰0	픽쳐폰	스마트폰	스마트폰, 테블릿, 노트북	VR, AR, 홀로그램, Iot, 자율주행차
서비스특징	음성통화	음성+문자	음성+문자 영상+인터넷	음성+문자 영상+인터넷	사물인터넷+인공지능 가상현실가능

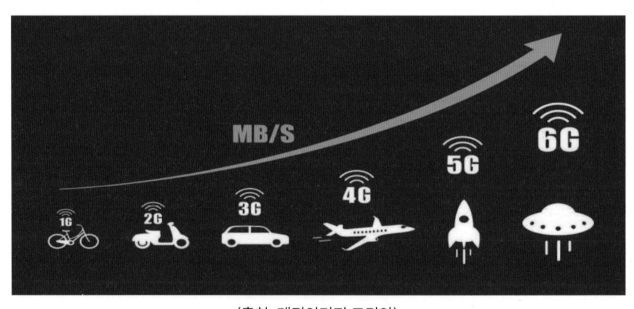

(출처: 게티이미지 코리아)

■ 와이파이 (Wi-Fi Wireless Fidelity)

1) 무선 인터넷이 개방된 장소에서, 스마트폰이나 노트북 등을 통하여 초고속 무선인터넷을 이용할 수 있는 설비. 무선접속장치(AP)가 설치된 곳을 중심으로 일정 거리 이내에서 이용할 수 있습니다.
WiFi를 이용하려면 WiFi를 지원하는 지역에 있어야 하며, 컴퓨터에는 무선 랜 카드와 무선 랜 카드를 위한 드라이버가 설치되어 있어야 합니다. 집이나 회사에서는 무선 공유기를 사용하면 WiFi를 사용할 수 있습니다.

2) 스마트폰에서 와이파이 연결 방법

1 ① 상단 바를 내려 와이파이를 활성화한 상태에서 [2초간] 눌러주세요. **2** ② 화면이 바뀌며 연결 가능한 [무선 네트워크]명이 나옵니다. **3** ③ 해당 무선 네트워크 [비밀번호]를 눌러주세요. ④ [연결]을 눌러주시면 Wi-Fi가 연결됩니다.

■ 블루투스 (Bluetooth)

1) 블루투스는 휴대폰, 노트북, 이어폰·헤드폰 등의 휴대기기를 서로 연결해 정보를 교환하는 근거리 무선 기술 표준을 뜻합니다.
주로 10미터 안팎의 초단거리에서 저전력 무선 연결이 필요할 때 사용됩니다.
예) 블루투스 헤드셋을 사용하면 거추장스러운 케이블 없이도 주머니 속의 MP3플레이어의 음악을 들을 수 있습니다.

2) 블루투스 연결 방법

1 ① 상단바를 내려 [블루투스]를 활성화하고 [2초간] 터치해주세요. **2** ② 주변 블루투스 연결 가능한 기기명 검색되면 [선택]해주세요. **3** ③ 블루투스 연결 요청이 뜨면 [등록]을 터치합니다.

■ 증강현실 = AR (Augmented Reality)

1) 증강현실은 현재 실제로 존재하는 현실의 사물이나 환경에 3차원의 가장 이미지를 겹쳐 하나의 영상을 만들어 마치 실제로 존재하는 것처럼 보여주는 컴퓨터 그래픽 기술 또는 그러한 기술로 조성된 현실을 말합니다.

전 세계적으로 사회적 현상을 일으킨 게임 포켓몬GO나 젊은 층을 중심으로 인기를 얻고 있는 카메라 앱 SNOW, Snapchat 등 AR 기술을 활용하는 앱이 잇따라 출시되고 있습니다.

2) AR에는 몇 가지 종류가 있는데 대표적인 AR 3가지

① GPS를 이용하는 AR : 자동차 내비게이션의 길 안내나 관광 정보 앱 등에서 활용
② QR코드를 이용하는 AR : QR코드를 이용하여 웹사이트에 접속 상품 소개나 프로모션에서 많이 이용
③ 화상인식을 이용하는 AR : 전용 앱 + 스마트폰 카메라 이미지 인식 + AR 통해 부가적인 정보 추가해 마라톤 생중계 때 하늘에서 헬리콥터로 촬영하는 이미지에 CG로 마라톤 코스를 합성 시 사용

■ 모바일클라우드서비스 = MCC (Mobile Cloud Computing)

소비자와 파트너의 모바일 기기에 클라우드 서비스를 제공하고, 모바일 기기들로 클라우드 컴퓨팅 인프라를 구성하여 기기 간 정보와 자원을 공유하는 클라우드 컴퓨팅
모바일 기기의 기종이나 운영체제(OS)에 상관없이 기기 간 정보를 공유하고, 모바일 앱, 스토리지 등의 클라우드 ICT자원을 제약 없이 이용할 수 있습니다. 클라우드 컴퓨팅의 경제성과 모바일의 이동성이 결합되어 비즈니스 시너지를 높일 수 있는 장점이 있습니다.

■ 상단 바

스마트폰 화면 상단에 위치하면서 기기의 각종 알림 및 상태 등을 표시하는 바를 말합니다. 주로 상단 바라고 하며 흔히 스마트폰의 상단부에 있는 바를 통칭해 표현하며 '상태 알림줄'이라고도 합니다. 기본모드 및 알림, 시계 등 상태 표시줄 변경도 가능합니다.

■ 내비게이션 바

1) 스마트폰 사용 시 가장 많이 쓰이는 홈 화면의 기능 버튼의 하나로 홈 버튼, 뒤로가기 버튼, 최근 실행앱 사용 버튼 등이 있는 부분을 내비게이션 바라고 합니다.
내비게이션 바는 사용자 편의에 따라 순서 변경 및 스타일도 간단하게 변경 가능합니다.

2) 내비게이션 바 변경방법

1️⃣ ① 설정에 [디스플레이] 터치하세요. 2️⃣ ② [내비게이션 바]를 터치하세요. 3️⃣ ③ 내비게이션 바에서 첫 번째 [내비게이션 스타일]을 [선택]해 주시고 두 번째 [버튼 순서]도 [선택]해주세요.

■ 패턴

스마트폰에는 많은 개인정보와 금융거래 앱 등 분실이나 타인에게 보호받아야 할 정보들이 많이 있는데 만약의 경우에 대비해 스마트폰에는 여러 개의 잠금 방식이 있습니다.
PIN(숫자), 패턴, 비밀번호(영문+숫자), 생체인식(지문+홍채) 그중 하나인 패턴은 보안 강도가 '중'으로 기억하기 쉽고 재미있어 많은 사람들이 사용하고 있습니다.
하지만, 간혹 너무 복잡한 패턴을 설정해 기억을 못 해 스마트폰이 잠겨버릴 때 해결 방법으로
① 내 디바이스 찾기 웹사이트에서 원격으로 화면 잠금을 초기화 가능
② 본인 신분증을 가지고 삼성 서비스 센터 방문으로 해결 가능
③ 개인이 해결하는 방법으로 삼성 잠금 화면을 해제하도록 공장 초기화하기
(위 방법은 삼성 안드로이드폰 기준입니다.)

■ 퀵패널

1) 와이파이, 소리, 진동, 블루투스, 비행기모드, GPS 등의 기능을 빠르게 변경할 수 있도록 하는 기능을 퀵패널이라 하며 최근 알림된 내용과 어플을 확인할 수 있으며, 퀵패널 커스터마이징이 가능해 나만의 퀵패널 꾸미기가 가능합니다.

2) 퀵패널 편집 방법

1️⃣ 상단 바를 2번 내려진 상태에서 ① [왼쪽]으로 드래그 해주세요. 2️⃣ ② [+]를 터치합니다.
3️⃣ ③ 필요한 [아이콘]은 드래그해서 내리고 ④ 필요 없는 [아이콘]은 드래그해서 위로 올리고,
[완료]를 터치하면 적용이 됩니다.

memo 📝

3강 스마트폰 이것만 알아도 스마트폰과 친해질 수 있다!

1. 홈 화면 정리하기

1 홈 화면에서 유사한 앱을 모아서 폴더로 만들기 위해, 앱 2개 중 하나의 앱을 길게 누른 후 다른 앱 위에 겹치게 합니다. **3** ① [폴더 이름]을 터치하여 앱을 구분할 수 있는 이름, 예로 [은행]을 입력합니다. ② 앱을 추가하려면 [+]를 터치합니다.

1 ① 예로 [카카오페이]를 터치하고 ② [완료]를 터치하면 카카오페이가 폴더 안에 추가된 것을 볼 수 있습니다. **2** 다음은 [동그라미 색]을 터치합니다. **3** ① 마음에 드는 [색상]을 터치합니다. 보이는 색 외에 다른 색을 선택하려면 ② [무지개색]을 터치해서 원하는 색으로 설정할 수 있습니다. 폴더에서 앱을 제외하려고 할 때는, 그 앱을 길게 누른 후 폴더 밖으로 이동하면 됩니다.

1 참고로 [홈에서 삭제]는 홈에서만 앱 아이콘을 삭제하며, 앱스 화면에는 그대로 앱이 있으며 [설치 삭제]는 앱스 화면에서 앱을 삭제합니다. 필요 없는 앱을 삭제하려면 [앱]을 2초 정도 길게 누릅니다. **2** ① [삭제]를 터치합니다. ② 여러 개의 앱을 한꺼번에 삭제하고자 할 때는 [∨ 선택]을 터치합니다. **3** ① 삭제할 [앱]들을 터치하고 ② 상단의 [휴지통]을 터치하면 삭제됩니다.

2. 앱스 화면 정리하기

1 상단 앱스 화면에서 오른쪽 [점 세 개 ⋮]를 터치합니다. **2** ① [페이지 정리]를 터치하고 [확인]을 터치하면 앱스 화면의 앱 사이에 빈 공간이 없도록 화면의 앱들을 자동으로 정리해줍니다.
② [설정]을 터치하면 홈 화면 설정에서 [홈 화면 구성, 홈 화면 배열, 앱스 화면 배열, 폴더 배열]을 설정할 수 있습니다.

1 다음은 삭제하고 싶은 [앱]을 2초 정도 길게 누릅니다.
2 [설치 삭제 ×]를 터치해서 앱을 삭제합니다.

3. 기본 벨소리 바꾸기

1 홈 화면에서 [설정]을 터치합니다.
2 설정 화면에서 [소리 및 진동]을 터치합니다.
3 소리 및 진동 화면에서 [벨소리]를 터치합니다.

1 여러 가지 벨소리 목록 중에서 ① [목록]을 터치하면 곡이 선택됩니다. 또 스마트폰에 저장되어 있는 음악을 벨소리로 지정하고 싶을 때는 ② 상단 오른쪽 [+]를 터치합니다. **2** [사운드 선택기]에서 곡을 선택합니다. **3** [완료]를 터치합니다.

4. 글씨 크기 조절하기

1 홈 화면에서 [설정]을 터치합니다.
2 설정 화면에서 [디스플레이]를 터치합니다.
3 [글자 크기와 스타일]을 터치합니다.

1️⃣ 아래쪽 글자 크기에서 [동그라미 점 ●]을 오른쪽으로 드래그하면 글씨 크기가 커집니다.

2️⃣ ① 글자 굵게 [버튼]을 터치하면 활성화가 됩니다. ② [글꼴]을 터치합니다.

3️⃣ 글꼴 화면에서 [굵은 고딕]을 터치하면 글자가 굵은 고딕체로 바뀝니다.

5. 글자 크게 하기

■ 문자 메시지에서 글자 크게 하기

1️⃣ 홈 화면에서 [메시지]를 터치합니다.

2️⃣ 수신된 문자 메시지 하나를 터치합니다.

3️⃣ 문자 내용을 엄지와 검지로 화살표 방향으로 손가락 사이를 벌려서 글자 크기를 크게 합니다.

■ 카카오톡에서 글자 크게 하기

1️⃣ 카카오톡에서도 글자를 크게 할 수 있습니다. 홈 화면에서 [카카오톡]을 터치합니다.

2️⃣ 오른쪽 상단에서 [설정]을 터치합니다.

3️⃣ 팝업 창에서 [전체 설정]을 터치합니다.

1️⃣ 전체 설정 메뉴에서 [화면]을 터치합니다.

2️⃣ 화면 옵션 목록에서 [글자크기] 터치합니다. 메뉴 아래 25pt만큼 글꼴을 크게 할 수 있습니다.

3️⃣ 글자크기 화면에서 [크기 조절 슬라이드]를 오른쪽이나 왼쪽으로 밀어서 글자 크기를 선택할 수 있습니다. 상단의 글자 미리보기를 보면서 크기를 조절합니다.

■ 네이버 뉴스 글자 크게 하기

1 네이버 앱을 실행합니다. 상단 왼쪽에 더보기 [≡]를 터치합니다.

2 상단 오른쪽에 [설정]을 터치합니다.

3 스마트폰 화면을 드래그하여 살짝 밀어 올립니다. 브라우저 기능 목록 중 [글자 크게 보기]를 터치하여 글자를 크게 할 수 있습니다. 네이버 뉴스에서는 기사 상단 우측의 [가 가]를 터치해서 글자를 크게 선택할 수 있습니다.

6. 배터리 절약

1 스마트폰 화면 상단 상태 표시줄에서 아래로 드래그하여 [빠른 설정 창]을 보이도록 합니다.

2 [다크 모드]를 찾아 터치합니다.

3 터치함과 동시에 스마트폰 화면이 [다크 모드]로 활성화됩니다.

1️⃣ 배터리 최적화를 활성화하려면 스마트폰 [설정]에서 [배터리 및 디바이스 케어]를 터치합니다. 2️⃣ [배터리]를 터치하여 3️⃣ ① [절전 모드]를 활성화합니다. ② [기타 배터리 설정]을 터치하여 배터리 최적화와 배터리 잔량 표시를 활성화합니다. 그리고 홈 화면과 앱스 화면의 배경화면을 검정색으로 하면 배터리가 절약됩니다.

7. 저장공간 확보하기

■ 카카오톡 캐시 삭제

1️⃣ 스마트폰 화면에서 [카카오톡]을 터치합니다.
2️⃣ ① 오른쪽 상단의 [설정]을 터치하고 ② [전체 설정]을 터치합니다.
3️⃣ [앱 관리]를 터치합니다.

1️⃣ 앱 관리 화면에서 [저장공간 관리]를 터치합니다. 2️⃣ 다음은 [캐시 데이터 삭제]를 터치합니다.
3️⃣ 캐시에 임시 저장된 데이터를 삭제하기 위해 [모두 삭제]를 터치합니다.

* 음악 캐시 데이터 삭제, 인앱브라우저 웹뷰 쿠키 삭제도 할 수 있습니다.

■ 디바이스 케어

1️⃣ 스마트폰 설정 화면에서 [배터리 및 디바이스 케어]를 터치합니다.
2️⃣ 디바이스 케어 화면에서 [지금 최적화]를 터치합니다.
3️⃣ 스마트폰 최적화가 활성화된 후 [완료]를 터치합니다.

* 스마트폰 최적화는 임시 파일, 캐시 데이터를 삭제하며, 저장 공간을 늘려주고 사용하지 않는 애플리
케이션을 종료시켜 배터리 사용 시간을 늘려줍니다. [위젯]을 활용하여 [디바이스 케어] 아이콘을
홈에 추가하면 편리하게 [디바이스 케어]를 수시로 최적화할 수 있습니다.

■ 애플리케이션에서 캐시 삭제

1️⃣ 스마트폰 기본 설정을 실행시킨 후 [애플리케이션]을 터치합니다.

2️⃣ 앱 목록의 오른쪽 [↓≡]를 터치합니다.

3️⃣ 필터 및 정렬 팝업 창에서 ① [크기]를 터치한 후 ② [확인]을 터치합니다.

1️⃣ 용량이 큰 순서부터 앱 목록이 보입니다. [카카오톡]을 터치합니다.

2️⃣ [저장공간]을 터치합니다.

3️⃣ [캐시 삭제]를 터치합니다.

1️⃣ 스마트폰 기본 설정을 실행시킨 후 [배터리 및 디바이스 케어]를 터치합니다.

2️⃣ 디바이스 케어 화면에서 [저장 공간]을 터치합니다. 저장 공간 화면에서 화살표 방향으로 드래그하면 다른 저장 공간(SD 카드)이 보입니다.

3️⃣ [이미지]를 터치합니다.

1️⃣ 화면에서 필요 없는 이미지를 선택하고 [삭제]를 터치합니다.

2️⃣ 다음은 휴지통 여러 항목 중에서 [갤러리]를 터치합니다.

3️⃣ 오른쪽 상단 [점 세 개]를 터치합니다.

1️⃣ 휴지통 [비우기]를 터치합니다.

2️⃣ [삭제]를 터치하여 이미지를 완전히 삭제합니다.

3️⃣ 다음은 사용하지 않는 앱에서 [>]를 터치합니다.

1️⃣ ① 필요 없는 앱 [○]을 터치하여 체크하고 ② [삭제]를 터치합니다.

2️⃣ 다음 화면에서는 중복 파일의 [>] 터치합니다.

3️⃣ 다음 중복 파일 중 ① 삭제할 파일을 선택하고 ② [삭제]를 터치합니다. 용량이 큰 파일도 위와 같은 방법으로 삭제할 수 있습니다.

8. 위젯 기본 활용하기

■ 전화 바로 걸기

1️⃣ 홈 화면 [빈 곳]을 2초 정도 길게 터치합니다.

2️⃣ 하단의 [위젯]을 터치합니다.

3️⃣ ① 검색 창에 [전화]라고 검색하고 ② 주소록 바로 전화 걸기 [∨]를 터치합니다.

1️⃣ 다음 화면에서 [바로 전화 걸기 추가]를 터치합니다.

2️⃣ 검색창에 자주 연락을 하시는 분의 전화명을 입력한 후 밑에 나타난 연락처를 터치합니다.

3️⃣ 홈 화면에 [바로 전화 걸기] 위젯이 설치됩니다.

■ 돋보기

1 홈 화면 [빈 곳]을 2초 정도 길게 터치합니다.

2 하단의 [위젯]을 터치합니다.

3 ① 검색창에 [돋보기]라고 검색하고 ② [돋보기 추가]를 터치합니다. 홈 화면에 [돋보기] 위젯이 설치됩니다.

■ 날씨

1 홈 화면 [빈 곳]을 2초 정도 길게 터치합니다.

2 하단의 [위젯]을 터치합니다.

3 ① 검색창에 [날씨]라고 검색하고 ② [날씨]를 터치합니다.

1 날씨 팝업창에서 [추가]를 터치합니다.

2 현재 위치 정보 사용에 대한 권한을 확인하고 [계속]을 터치합니다.

3 지역 선택을 합니다. 홈 화면에 [날씨] 위젯이 설치됩니다.

* 위와 같은 방법으로 디바이스 케어, 스마트 위젯 등 필요한 위젯을 설치할 수 있습니다.

즐거운 인생을 위한 스마트 가이드북

---

memo

1. 전화가 걸리지도 울리지도 않아요

▶ 재부팅 합니다. (전원을 껐다 켜봅니다.)
▶ 볼륨 설정을 확인해 봅니다.

홈 화면에서 손가락으로 위 상태 표시줄에서 아래로 드래그하면 [설정] > [소리 및 진동] > [벨소리]를 볼 수 있는데 이곳에서 [벨소리]에 음량 버튼이 켜져 있는지 확인합니다.

▶ 방해 금지 모드를 확인해 봅니다.
방해 금지가 활성화되어있다면 전화가 와도 벨이 울리지 않습니다.

방해 금지(Do Not Disturb) 모드는 스마트폰에 있는 기본 기능으로 알람을 제외한 거의 모든 알림
(전화, 메시지, 카톡) 등을 비활성화해주어 사용자가 온전히 집중 상태에 몰입할 수 있게 도와주는 기능입니다.
방해 금지 모드를 설정하면 수신되는 모든 전화는 바로 부재중으로 넘어가는데요. 예외 허용 설정을 하면 특정한 사람의 전화에 대해서만 받고 싶다면 '즐겨찾는 연락처만'을 체크하고 특정한 사람을 즐겨찾기 해주면 됩니다. 또한 급한 전화라면 두 번 이상 발신할 텐데요. '두 번 이상 걸려 온 전화'를 켜주면 15분 이내에 같은 사람에게서 두 번째 연락이 오면 벨소리가 울리게 됩니다.

1️⃣ 홈 화면에서 손가락으로 위 상태 표시줄에서 아래로 두 번 드래그하면 [방해 금지] 모드를 찾을 수 있습니다. [방해 금지]가 [활성화]되어 있습니다. 2️⃣ ① [방해 금지] 버튼을 터치해서 비활성화하면 수신이 가능합니다. ② 방해 금지 [예외 허용]을 적용할 수도 있습니다.

▶ 상대방 전화번호가 수신이 차단되어 있는지 확인해 봅니다.
요즘 스팸 전화나 문자가 많이 오다 보니 나도 모르게 지인의 전화를 스팸으로 수신 차단을 했는지 확인합니다.

1️⃣ 전화번호 다이얼이 있는 곳에 가서 상단에 [점 3개]를 누르고, [설정]을 터치합니다.
2️⃣ [수신 차단]을 누릅니다. 그곳에서 지인의 전화번호가 [수신 차단]된 것이 있는지 확인해서 해제합니다.
3️⃣ [비행기 모드]인지 확인합니다. [비행기 모드]에서는 전화, 문자, 인터넷, Wi-Fi, 블루투스와 같은 네트워크 기능이 모두 꺼집니다.

2. 인터넷 사용 시 와이파이나 모바일 데이터 확인하기

홈 화면에서 손가락으로 위 상태 표시줄에서 아래로 두 번 드래그하면 퀵패널이 열리며, 와이파이와 모바일 데이터를 볼 수 있는데 두 개 모두 활성화합니다. 와이파이가 되는 곳에서는 와이파이로 인터넷을 사용할 수 있고 와이파이가 없는 곳에서는 모바일 데이터로 자동으로 연결됩니다. 와이파이를 사용할 때는 공공장소의 와이파이를 선택한 후 비밀번호를 넣어줍니다.

1 [와이파이] 적용은 ① [부채꼴] 모양의 아이콘이 켜져 있고, 상단에 ②에서 가리키는 부분에 부채꼴 모양이 있으면 현재 와이파이가 적용되어 있다는 표시입니다. **2** [모바일 데이터]가 적용되었다면 상단에 5G 글씨가 쓰여 있는 것을 볼 수 있습니다. **3** [모바일 데이터]를 터치하고 [확인]을 터치합니다.

3. 소리가 안 들려요

전화벨 소리가 안 들리거나 문자나 카톡 알림 소리가 안 들릴 때는 [설정]에서 [소리 및 진동]에서 확인합니다. [진동]이나 [무음] 상태일 경우 소리가 나지 않습니다.

통화 중에 상대방 목소리가 안 들리고 작을 때는 통화 중에 스마트폰 옆 음량 버튼 중 위쪽 버튼을 눌러줍니다.

4. 와이파이 한번 잡으면 계속 자동으로 뜨는 거 아닌가요?

▶ 와이파이는 동일한 곳에 있는 동일한 와이파이라면 처음 비밀번호를 연결할 때 [자동으로 다시 연결]을 터치해서 활성화하면, 이후에 같은 장소는 항상 자동으로 연결이 됩니다.

5. 와이파이 QR코드 스캔하면 연결이 안 돼요?

와이파이를 연결할 때 비밀번호를 입력하지 않고 QR코드로 쉽고 빠르게 연결할 수 있습니다. 이때 QR코드 스캔은 카메라QR코드, QR코드전용어플, 와이파이용 스캔이어야 합니다. 네이버 QR코드스캔이나 카카오톡 QR코드스캔으로 사용하시면 와이파이 QR코드스캔을 할 수 없습니다. 스마트폰 QR코드를 생성하기 위해서는 와이파이에 연결이 완료된 사용자의 QR코드가 필요합니다.

1️⃣ 와이파이에 연결된 사용자의 큐알코드를 보이게 하기 위해서 와이파이 로고를 길게 터치해서 [연결됨] 옆의 [설정]을 터치합니다. 2️⃣ 하단의 [큐알코드]를 터치합니다. 3️⃣ [큐알코드]가 크게 보이며, 이것을 카메라에서 사진으로 스캔하여 연결할 수 있으며, [이미지로 저장]하거나 [공유]할 수 있습니다.

6. 스마트폰이 자꾸 뜨거워져요?

많은 프로그램이 작동상태에 있거나 프로그램끼리 충돌하는 경우 CPU의 과부하로 스마트폰이 뜨거워지는 경우가 있습니다. 이럴 경우, 스마트폰의 전원을 껐다가 다시 켜거나 [디바이스 케어]에서 [최적화]를 합니다.

1 스마트폰의 [전원] 버튼을 터치해서 [다시 시작]을 터치합니다. 2 홈에서 바탕화면을 길게 터치하면 편집화면으로 바뀌는데 하단에 [위젯]을 터치합니다. 3 상단에 [디바이스 케어]를 검색하여 아이콘을 길게 터치하여 [홈 화면에 추가]하여 자주 [디바이스 케어]를 실행합니다.

7. 나도 모르는 광고가 자꾸 홈 화면에 떠요?

1 구글 플레이 스토어에서 [고클린]을 설치한 후 2 고클린 권한 허용을 하고 나면 상단에 [광고 찾기] 탭을 확인할 수 있습니다. 이곳을 터치합니다. 시간대별로 스마트폰에서 사용한 어플들을 볼 수 있습니다. 3 [광고 찾기]에 들어가면 최근에 사용한 앱들이 보이며 사용하지 않은 앱이라면 악성 앱일 가능성이 크므로 삭제하며 광고는 그 광고가 나타난 시간에 사용한 앱에 딸려 들어와 설치된 것이므로 그 앱의 오른쪽의 [DEL]을 터치해서 삭제합니다.

8. 인증 문자가 안 와요?

인터넷 사이트에서 회원가입을 하거나 개인정보를 확인할 때 스마트폰 본인인증을 필수적으로 합니다. 인증하는 방법에는 공인인증서, 문자 등 여러 가지 방법이 있지만 그중에서도 인증 문자를 이용하는 방법이 가장 많이 사용되고 있습니다. 스마트폰에서 인증 문자가 오지 않는 가장 많은 경우는 [수신 차단 메시지]인 경우입니다. [수신 차단]에서 확인하고 해제하면 됩니다.

1 스마트폰에 기본적으로 설치되어있는 [메시지] 앱에서 상단이나 하단에 있는 [점 3개]를 터치해서 [설정]을 터치합니다. **2** [전화번호 및 스팸 차단]을 터치합니다. **3** ① [수신 차단]에서 해당되는 번호를 해제합니다. ② [차단 메시지]를 터치해서 이곳에 인증 번호가 있는지 확인합니다.

참고 : [PASS] 인증 앱을 활용하면 간편하게 본인인증을 할 수 있습니다.

9. 인증오류라고 떠요?

인터넷 사용 중 사이트를 이용할 때 로그인을 해야 할 때가 있는데 로그인을 하려고 하면 [승인 오류]라고 뜨는 경우가 있습니다. 웹브라우저가 서로 맞지 않아서 그럴 수 있으니 [크롬 브라우저]나 [구글]에서 진행하면 대부분 해결이 됩니다.

1 예로 [네이버] 앱에서 [픽사베이]를 검색해 보았습니다. 검색된 [픽사베이] 사이트에 접속해서 로그인하려고 선택하고 **2** 구글로 로그인하려고 하면 **3** [승인 오류]라고 뜨는 것을 볼 수 있습니다.

다시 [구글]에서 [픽사베이]를 로그인해 보겠습니다.

1️⃣ [구글] 검색창에 [픽사베이]를 검색해서 [픽사베이] 사이트에 들어갑니다. 2️⃣ 로그인을 [구글로 선택]하면 바로 연결이 되며 3️⃣ 로그인됩니다.

memo

1. 스마트폰 파지법

■ 가로 파지법

▶ 왼손의 검지와 엄지는 스마트폰의 왼쪽 위와 아래를 잡아주고, 오른손의 검지와 새끼손가락은 스마트폰의 오른쪽 위와 아래를 잡고, 중지와 약지는 스마트폰의 뒷면을 받쳐줍니다. 그리고 오른손 엄지로 셔터를 터치해서 촬영을 하는 방법입니다.

▶ 양손 가로 파지법에서, 왼손을 사용할 수 없을 때 오른손으로만 사용하여 촬영 하는 방법입니다.

■ 세로 파지법

▶ 왼손으로 스마트폰 아래를 감싸듯 받쳐주고, 오른손으로 왼손을 감싸며 받쳐줍니다. 오른손 엄지를 사용하여 촬영을 합니다.

2. 영상 촬영하면서 사진도 촬영

▶ ① 촬영모드 [동영상]을 선택합니다.
② [셔터] 버튼을 터치해서 영상을 촬영합니다.

▶ ① 촬영 시간이 표시됩니다.
② 터치하면 촬영이 일시 중지되고, 다시 터치하면 촬영이 됩니다.
③ 터치하면 영상을 촬영하면서 동시에, 사진을 촬영할 수 있습니다.
④ [정지]를 터치하면 영상 촬영을 종료합니다.

남보다 늦게 시작하는 스마트폰 활용 따라

3. 음량 버튼이 셔터

1 스마트폰의 측면의 음량 버튼을 셔터로 활용할 수 있습니다. 카메라의 [설정]에서 [촬영 방법]을 선택하여 [음량 버튼 누르기]를 터치합니다.

2 [사진 및 동영상 촬영]을 터치합니다.

3 카메라 사용 중에 측면 버튼을 누르면 사진이나 영상을 촬영할 수 있습니다.

4. 카메라 화면 확대, 축소

1️⃣ 카메라의 [설정]을 터치합니다.
2️⃣ ① 위로 드래그하여 ② [촬영 방법]을 터치합니다.
3️⃣ [음량 버튼 누르기]를 터치합니다.

1️⃣ [화면 확대/축소]를 선택합니다.
2️⃣ [음량 버튼]의 상단을 누르면 화면이 확대되고
3️⃣ [음량 버튼]의 하단을 누르면 화면이 축소됩니다.

5. 인물 사진 촬영하기

 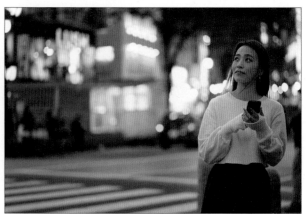

▶ 인물을 선명하게 하고 주위를 흐리게 하는 [아웃 포커스] 촬영을 하면 인물이 부각되는 사진이
됩니다. 인물 중앙에 초점을 맞추고 피사계 심도를 낮게 하여 촬영하면, 인물은 선명하게 주위는
흐리게 나오는 사진이 됩니다.

▶ 인물의 전신 촬영을 할 때, 머리를 화면의 중앙에 두고 발을 화면 하단에 두고 촬영하면 렌즈 왜곡을
최소화하며 머리는 작게, 다리는 길어 보이는 효과의 사진을 촬영할 수 있습니다.
앵글은 허리 아랫부분에서 위로 향하는 [로우 앵글]로 촬영을 합니다.
인물을 화면의 하단에 맞추고 [로우 앵글]로 풍경을 촬영하면 인물은 비율 좋게, 풍경은 더 웅장
하고 멋진 사진을 촬영할 수 있습니다.

▶ 화면의 가로, 세로 3등분의 수평, 수직선이 만나는 3분의 1지점에 눈을 위치하고, 인물을 중앙보다는 좌우로 배치하고, 인물의 시선 방향에 화면의 여백을 주어 촬영을 하면, 더욱 편안하고 안정적인 사진을 촬영할 수 있습니다.

▶ 인물의 뒤가 앞보다 밝은 역광의 사진을 잘 활용하면, 분위기 있는 선과 형태의 사진을 촬영할 수 있습니다. 일몰 때에 보조광 없이 노출을 보정해서 멋진 [실루엣] 사진을 촬영할 수 있고, 역광에서 전면에 보조광을 함께 이용하여 촬영하면, 섬세한 선과 형태의 사진을 촬영할 수 있습니다.

6. 음식 사진 촬영하기

▶ 맛있는 식감을 느끼게 하는 색상은 붉은 계열의 따뜻한 색상입니다.
위 좌측 사진은 [자동모드]로 촬영한 사진으로 푸른색의 색감의 사진입니다.
우측 사진은 [수동모드]에서 [WB-화이트 밸런스]에서 K값을 5,000 이상으로 조절하여 촬영한
사진으로 훨씬 식감을 높이는 사진이 됩니다.

▶ 식탁 위가 산만하고 지저분할 경우, 세로 구도로 사진을 촬영하면, 더욱 깔끔하고 세련미 있는 사진
을 촬영할 수 있습니다.

▶ 단순한 음식보다는 보조도구를 활용하면 더욱 세련되고 식감을 높이는 사진을 촬영할 수 있습니다.

▶ 음식을 일렬로 배치하는 것보다 대각선 구도로 배치하고, 조명은 측면광을 이용하면 [아웃 포커스]
　효과와 음식의 질감과 밝은 느낌을 살리는 사진을 촬영할 수 있습니다.

memo

1. 사진 드래그해서 선택하기, 사진 폴더 만들기

1 홈 화면에서 [갤러리]를 터치합니다. **2** ① 선택할 사진을 지그시 누른 상태에서 드래그하여 선택할 수 있습니다. ② 잘못 선택한 사진은 [V]을 터치하여 취소할 수 있습니다. **3** ① 하단에 [더보기]를 터치 후 ② [앨범으로 이동]을 터치합니다.

1 [만들기]를 터치하여 진행합니다. **2** ① 예시로 앨범명을 가을 풍경으로 입력 후 ② [추가]를 터치합니다. **3** 앞에서 드래그하여 선택한 사진이 새로운 앨범 [가을 풍경] 폴더로 생성된 화면입니다.

2. 사진 검색하기 기능

1 홈 화면에서 [갤러리]를 터치합니다.
2 사진 화면에서 [검색] 돋보기 아이콘을 터치합니다.
3 사용자 갤러리에 있는 사람, 사진 찍은 위치, 유형, 문서, 대상, 풍경 등으로 사진을 검색할 수 있습니다. 더 많은 사람을 보기 위해 [>]를 터치합니다.

1 사용자 갤러리에 있는 사람들이 보입니다. 검색하고자 하는 사람을 선택합니다.
2 사용자가 선택한 사람이 포함된 사진만 보입니다.
3 상단 검색창에 원하는 키워드를 통해 원하는 사진을 검색할 수 있습니다.

3. 포토에디터 제대로 활용하기 (스마트폰 UI 버전 5.0 안드로이드 13 버전)

1️⃣ 홈 화면에 [갤러리]를 터치합니다.
2️⃣ 편집할 이미지를 선택합니다.
3️⃣ [편집] 연필 아이콘을 터치합니다.

1️⃣ 하단 카테고리에서 [스마일] 아이콘을 터치합니다.
2️⃣ 다음 메뉴에서 [스티커]를 터치합니다.
3️⃣ ① [갤러리] 아이콘을 터치한 후 ② [+]를 터치하여 앨범으로 이동합니다.

1️⃣ 사용자 앨범에서 사진 위에 스티커로 사용할 사진을 선택합니다.

2️⃣ 사용자가 원하는 대로 이미지를 자를 수도 있고 ① [도형 모양]를 터치하여 원하는 도형으로 사진을 자를 수 있습니다. ② [다음]을 터치합니다.

3️⃣ ① 잘라 온 사진 이미지 테두리의 색상이나 테두리 두께를 조절할 수 있습니다. ② [완료]를 터치합니다.

1️⃣ 이미지 스티커를 원하는 자리에 위치시킨 후 ① [텍스트]를 터치하여 원하는 문구를 입력할 수 있습니다. ② 하단 점 세 개 [더보기]를 터치합니다.

2️⃣ [다른 파일로 저장]을 터치하여 저장하면 원본은 그대로 유지되며 편집된 사진은 별도로 저장됩니다.

4. 사진이나 동영상 다른 사람은 못 보고 나만 보고 싶을 때

  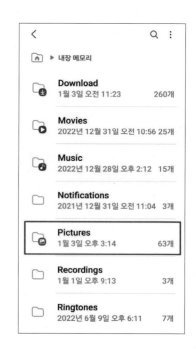

1️⃣ 홈 화면에서 [내 파일]을 터치합니다.
2️⃣ [내장 메모리]를 터치합니다.
3️⃣ 동영상, 음악, 사진 등 다양한 파일이 보입니다. 사용자가 숨기고 싶은 파일을 선택합니다.
예시로 [pictures] 사진을 선택합니다.

1️⃣ 사진 폴더에서 사용자 앨범별로 보입니다. 숨기고 싶은 앨범 파일을 길게 눌러서 선택합니다.
2️⃣ ① 파일이 선택된 화면에서 ② 하단 점 세 개 [더보기]를 터치합니다. ③ 메뉴창에서 [이름 변경]
을 터치합니다.
3️⃣ ① 선택한 파일 앞에 [온점]을 찍고 ② [이름 변경]을 터치하여 완료합니다.

1 ① 숨겨진 파일은 온점과 점선으로 구분할 수 있습니다. ② 점 세 개 [더보기]를 터치하여 설정으로 이동합니다.

2 [설정]을 터치합니다.

3 내 파일 설정에서 [숨겨진 시스템 파일 표시]를 활성화해 주어야 숨겨진 파일을 구분해서 확인할 수 있습니다.

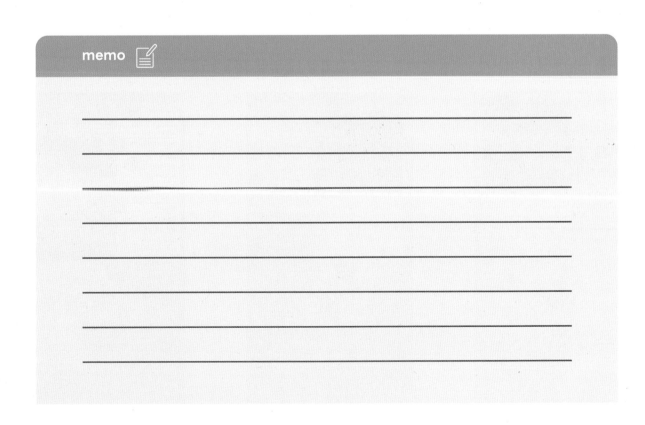

memo

1. 카카오톡 프로필 꾸미기

■ **프로필 사진 / 동영상 (동영상 최대 6초)**

1 ① [카카오톡] 앱 실행 후 좌측 하단에 친구[👤] 아이콘을 터치합니다. ② 상단에 [내 이름]을 터치합니다. **2** ① [프로필 편집]을 터치합니다. ② 내 이름 옆에 있는 [카메라] 모양을 터치합니다. ③ [앨범에서 사진/동영상 선택]을 터치합니다. ④ 전체 보기 옆에 목록 펼침 [▼] 단추를 터치합니다. ⑤ 프로필 사진이 들어있는 [앨범]을 선택합니다. **3** ① [사진]을 선택합니다.(사진 선택 후 하단 메뉴에서 필터, 자르기, 회전, 텍스트 입력, 스티커 넣기, 그리기를 이용해 편집할 수 있습니다.) ② [확인]을 터치합니다. ③ [완료]를 터치합니다. ④ 프로필 사진이 변경되었습니다.

■ **이름 · 상태 표시 메시지 · 프로필 배경 사진 / 동영상 (동영상 최대 15초)**

1 ① 프로필 이름을 변경하기 위해 [프로필 편집]에서 이름 옆에 있는 [연필] 모양을 터치합니다. ② [×]를 눌러 [현재 이름]을 삭제합니다. ③ [변경할 이름]을 입력합니다. ④ [확인]을 누릅니다. **2** ① 상태 메시지를 입력하기 위해 상태 메시지 옆에 있는 [연필] 아이콘을 터치합니다. ② 상태 메시지를 입력합니다. ③ [확인]을 누릅니다. **3** ① 좌측 하단에 [카메라] 모양을 터치합니다. ② [앨범에서 사진/동영상 선택]을 터치합니다. ③ 전체 보기 옆에 목록 단추 [▼]를 누릅니다. ④ 사진이 있는 [앨범]을 선택합니다. ⑤ 배경에 넣을 [세로 사진]을 선택합니다. ⑥ [확인]을 터치합니다. ⑦ [완료]를 터치합니다.

■ 공감 스티커 · 음악 · 스티커 · 배경효과 꾸미기

1 ① [프로필 편집]에서 하단 두 번째 [공감 스티커] 아이콘을 터치합니다. ② 네 종류의 스티커 [스타일]을 선택합니다. ③ 마음에 드는 [스티커]를 선택합니다. ④ 스티커 [배경]색을 터치합니다. ⑤ [색상]을 선택합니다. ⑥ [확인]을 터치합니다. ⑦ [완료]를 터치합니다. **2** ① 하단 세 번째 [♬] 아이콘을 터치합니다. ② 8가지 타이틀 중 원하는 [타이틀]을 선택합니다. ③ 검색창에 [곡명]을 검색합니다. ④ 제목 우측에 동그라미를 [체크]합니다. ⑤ [추가하기]를 터치합니다. ⑥ [완료]를 터치합니다. ⑦ 다시 [완료]를 터치합니다. **3** ① [프로필 편집]에서 하단 네 번째 아이콘 [스티커]를 터치합니다. ② 카테고리 [시즈널]을 선택합니다. ③ [별 토끼]모양을 선택합니다. ④ [곰돌이]모양을 선택합니다. ⑤ 하단 [🌀] 아이콘을 터치합니다. ⑥ 눈 내리는 효과[▨]를 선택합니다. ⑦ 우측 상단에 [완료]를 선택합니다.

🤟	공감 스티커는 4개의 디자인, 최대 3개까지 추가 가능, 다양한 이모지와 색상 선택, 내 프로필을 본 친구가 스티커에 공감을 보낼 수 있는 기능으로 공감한 친구의 정보, 개수는 나만 볼 수 있습니다.
♬	프로필 뮤직 무료는 1분만 듣기가 가능하고, 그 이상은 멜론에서 이용권을 구매해야 합니다. 30곡까지 추가할 수 있고, 순서 변경도 가능합니다. 제일 첫 곡이 프로필 화면에 뜹니다.
😜	스티커는 여러 가지 다양한 스티커로 프로필을 꾸밀 수 있습니다. 위치, 크기, 회전 가능
🌠	배경 효과는 프로필 배경에 다양한 효과를 줄 수 있습니다.

■ 텍스트, 디데이, 세트 아이템 꾸미기

1 ① 프로필 편집에서 하단에 텍스트[T] 아이콘을 터치합니다. ② [💬]아이콘을 터치합니다. ③ [메시지 스티커]모양을 선택합니다. ④ [입력해 주세요]를 터치합니다. ⑤ [메시지 내용]을 입력합니다. **2** ① [🌑] 아이콘을 터치합니다. ② [색상]을 선택합니다. ③ [가운데 정렬]을 합니다. ④ [Aa]를 선택합니다. ⑤ [글씨체]를 선택합니다. ⑥ [확인]을 선택합니다. **3** ① 하단에 7번째 [31]아이콘을 터치합니다. ② 마음에 드는 [스타일]을 선택합니다. ③ '제목을 입력해주세요'에 [디데이 제목]을 입력합니다. ④ 아래쪽에 [디데이]글자를 선택합니다. ⑤ 달력이 나오면 [날짜]를 선택합니다. ⑥ [확인]을 선택합니다. ⑦ 설정일로부터 1일 [토글]을 켭니다. ⑧ 우측상단에 [확인]을 터치합니다. ⑨ 우측 상단에 [완료]를 터치합니다.

▶ ① 프로필 편집에서 하단에 텍스트[🔲] 아이콘을 터치합니다.
② "세트 아이템 적용 시 기존에 적용한 아이템이 모두 삭제될 수 있습니다. 계속하시겠습니까?" 팝업창이 나오면 [확인]을 터치합니다.
③ 우측 상단에 [완료]를 터치합니다.

※ 세트 아이템은 카카오톡에서 제공하는 템플릿으로 쉽고, 간단하게 프로필을 꾸밀 수 있는데 이 또한 부분적으로 크기, 위치 이동, 삭제가 가능하고, 다른 스티커나 효과를 추가할 수도 있습니다.

2. 카카오톡 음성으로 문자 보내기

1️⃣ ① [카카오]앱 실행 후 하단에 [채팅]을 터치합니다. 메시지 보낼 [채팅 대화]방을 선택합니다. ② 커서가 깜박이는 [메시지 입력창]을 터치합니다. ③ 키보드가 나타나면 키보드 툴바에 [마이크] 모양을 터치합니다. 2️⃣ 마이크를 누름과 동시에 마이크가 파란색으로 되면서 녹음이 시작됩니다. "안녕하세요 느낌표 점심식사 맛있게 하셨습니까 물음표 요즘 날씨가 많이 춥네요 마침표 옷 따뜻하게 입고 감기 조심하세요 마침표" 예시문장처럼 메시지 보낼 내용과 함께 문장 부호 [느낌표, 물음표, 마침표]도 말을 하면 띄어쓰기와 함께 문장 부호까지 자동으로 입력이 됩니다. 이때 발음을 천천히 또박또박해주어야 인식률이 좋습니다. 음성 녹음 중에 [일시 정지]했다가 다시 [말하려면 누르세요]를 누르면 이어서 말할 수 있습니다. 3️⃣ ① 말하기가 끝난 후 [오타]확인을 합니다. ② 왼쪽 하단 [키보드] 모양을 터치합니다. ③ 오타와 내용 수정, 문장 줄 바꾸기를 할 수 있습니다. ④ 발송하기 [종이비행기] 모양을 터치합니다. ⑤ 카카오톡 음성으로 문자 보내기가 완료되었습니다.

키보드에 마이크가 없는 경우 설정 방법
① 스마트폰 상단 바에서 아래로 스크롤 톱니 바퀴 모양 [설정]을 터치합니다.
② 설정 메뉴 중에서 [일반]을 터치합니다.
③ [삼성 키보드 설정]을 터치합니다.
④ [키보드 툴바]를 켜 줍니다.

카카오톡 음성으로 문자 보내기 기능은 글자를 입력하기 어려운 상황, 운전 중일 때, 긴 내용을 말로 표현할 때, 노안으로 키보드 입력이 불편한 시니어분들이 편리하게 사용할 수 있는 기능입니다.

3. 카카오톡 알림 배지 안 보이는 경우

1 ① 스마트폰 상단 바에서 아래로 드래그 후 [설정]앱을 터치합니다. ② 설정 메뉴에서 [알림]을 터치합니다. **2** ① 알림 메뉴에서 [고급 설정]을 터치합니다. ② [앱 아이콘 배지]를 터치해서 활성화합니다. **3** ① [앱 아이콘 배지]를 터치합니다. ② 배지 스타일에서 [숫자]를 선택합니다. ③ 뒤로 가기 [<]를 두 번 눌러 [알림]화면으로 이동합니다.

1 알림 메뉴에서 [앱 알림]을 터치합니다. **2** 앱 알림에서 [카카오톡]을 선택합니다. **3** ① 알림 방식에서 [배지 허용됨]을 선택합니다. ② [홈버튼]을 누르고 [카톡]앱을 확인하면 우측 상단에 알림 배지가 있습니다.

카카오톡에서 메시지가 오게 되면 카캬오톡 앱 아이콘 배지의 우측 상단에 작은 숫자로 표시됩니다. 나에게 수신된 읽지 않은 메시지의 숫자를 알려주는 기능입니다.

4. 카카오톡 저장 공간 관리하기

스마트폰의 저장 공간 확보는 매우 중요합니다. 스마트폰의 용량이 가득 차게 되면 발열이 나거나 정상적으로 작동하지 못할 수 있고, 메모리 수명에도 좋지 않습니다. 대부분 스마트폰의 저장 공간을 확보하기 위해 앱을 삭제하거나 사진과 동영상 파일들을 삭제하는 데 우리가 매일 사용하는 '카카오톡' 앱이 의외로 저장 공간을 많이 차지하고 있습니다. '카카오톡' 앱에서 주고받은 사진, 동영상 파일은 물론 친구 목록, 채팅방 목록 및 각종 설정 정보 등과 같이 서비스 이용에 필요한 여러 정보들이 스마트폰의 저장 공간을 차지하기 때문입니다.

■ 카카오톡 앱 캐시 데이터 지우기

'캐시 데이터 삭제'는 채팅방에 대화 내용이나 사진, 동영상, 음악 등의 파일 삭제 없이 쿠키 파일들을 정리해서 스마트폰 속도를 빠르게 하고 저장 공간 확보를 할 수 있습니다. 정기적으로 실시하는 것이 좋습니다.

1 ① [카카오] 앱 실행 후 우측 상단에 설정 [톱니바퀴]를 터치합니다. ② [전체 설정]을 터치합니다. ③ 제일 하단에 [앱 관리]를 터치합니다. **2** ① [저장공간 관리]를 터치합니다. ② [캐시 데이터 삭제]를 터치합니다. ③ 팝업창이 뜨면 [모두 삭제]를 터치합니다. ④ 삭제되었습니다. **3** ① 이어서 [음악 캐시 데이터 삭제]를 터치합니다. ② [모두 삭제]를 터치합니다. ③ 캐시 데이터와 음악 캐시 데이터 모두 0 Bytes가 되었습니다.

> **캐시 데이터 삭제** : 채팅방 대화 메시지, 사진, 동영상의 임시 데이터를 지워 용량을 확보할 수 있음.
> **음악 캐시 데이터 삭제** : 채팅방 내의 mp3와 같은 음악 캐시를 삭제하여 용량을 확보함.
> **인앱 브라우저 웹뷰 쿠키 삭제** : 인터넷 링크와 첨부 사진의 쿠키를 지워 용량을 늘림.

■ 불필요한 채팅방 나가기

채널채팅방 나가기

나가기를 하면 대화내용이 모두 삭제되고 채팅목록에서도 삭제됩니다.

취소   나가기

자주 소통하지 않거나 불필요한 채팅방은 [나가기]해서 정리합니다.
① '카카오톡' 앱 실행 후 하단에 채팅 [💬]목록 아이콘을 터치합니다. ② 채팅 목록에서 '나가기' 할 [채팅방 프로필]을 길게 누릅니다. ③ [나가기]를 터치합니다. ④ '나가기'를 하면 대화 내용이 모두 삭제되고 채팅 목록에서도 삭제됩니다. 팝업창이 뜨면 [나가기]를 터치합니다.

■ 자주 사용하는 채팅방마다 '전체 파일 삭제'하기(중요한 파일들은 미리 다운로드 후 진행하세요.)

1 ① [카카오톡]앱 실행 후 하단에 채팅 [💬]아이콘을 터치합니다. ② 사진이나 동영상 파일이 많이 송, 수신되는 채팅방을 선택합니다. ③ 우측 상단에 더보기 [≡]를 터치합니다. 2 ① 우측 하단의 설정 [⚙]을 터치합니다. ② 채팅방 용량 관리에서 [전체 파일 모두 삭제]를 터치합니다. 3 ① 팝업창이 뜨면 [모두 삭제]를 터치합니다. ② [전체 파일 모두 삭제]가 '0 bytes'가 되었습니다.

■ 카카오톡 '톡서랍'을 이용한 사진 및 동영상 삭제하기

1 ① [카카오톡] 앱 실행 후 우측 하단 점 세 개 [더보기]를 터치합니다. ② [톡서랍]을 터치합니다. [친구]에서 [나와의 채팅]을 선택해서 화면 상단에서도 [톡서랍] 로고를 터치해서 사용할 수 있습니다. 2 ① 내 톡 데이터에 있는 [사진/동영상]을 터치합니다. ② '사진, 동영상' 탭에서 삭제할 사진과 영상을 선택합니다. ③ 우측 하단에 삭제 [휴지통]아이콘을 터치합니다.
3 ① 팝업창이 뜨면 [삭제]를 터치합니다. ② 메시지가 삭제되었습니다.

5. 사진 묶어보내기

'카카오톡'에서 보내기도 편하고, 받기도 편한 '사진 묶어보내기' 기능은 말풍선 하나에 최대 30장(PC 버전 100장)의 이미지를 첨부할 수 있습니다. 묶어서 보내기 설정을 한 번만 해 놓으면 계속 유지됩니다. 받는 사람은 사진을 터치해서 1장씩 선택해서 다운로드할 수도 있고, '묶음 사진 전체 저장'을 한 번에 할 수도 있습니다.

1 ① [카카오톡]앱을 실행하여 하단에 채팅 [💬]을 터치합니다. ② 사진을 보낼 [채팅방]을 선택합니다. **2** 좌측 하단에 [+]를 터치합니다. **3** ① [앨범]을 터치합니다. ② [전체]를 터치합니다.

  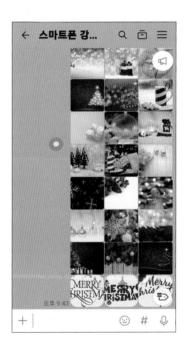

1 [사진 묶어보내기] 앞에 동그라미를 터치하면 체크가 됩니다. **2** 사진을 선택(스마트폰에서 최대 30장)하면 사진 위에 노란 동그라미와 사진 개수가 표시됩니다. 우측 상단에 [전송]을 터치합니다. **3** 사진 30장이 한 번에 전송되었습니다. ※ 동영상 파일은 묶어보내기가 되지 않습니다.

6. 벨소리 설정하기

■ 카카오톡 전체 알림음 설정

1 ① 카카오톡 앱을 실행 후 우측 상단의 설정 [⚙]을 터치합니다. ② [전체 설정]을 터치합니다.
2 ① 설정 메뉴에서 [알림]을 터치합니다. ② 알림 메뉴에서 [알림음]을 터치합니다.
3 ① 원하는 [알림음]을 선택합니다. ② [확인]을 터치합니다.

■ 카카오톡 채팅방마다 알림 소리 다르게 하기

1 ① 카카오톡 앱을 실행 후 하단에서 채팅 [💬]을 터치합니다. ② 알림 소리를 지정할 [채팅방]을 선택합니다. ③ 우측 상단 더보기 [☰]를 터치합니다. **2** ① 우측 하단에 설정 [⚙] 터치합니다. ② [현재 채팅방 알림음]을 터치합니다. **3** ① 사용할 [알림음]을 선택합니다. ② 우측 하단에 [확인]을 터치합니다.

7. '카카오톡'에서 받은 파일 찾기

■ 사진, 동영상 파일 '갤러리' 앱 에서 쉽게 찾기 (저장 경로 확인하기)

1 ① [갤러리]앱을 터치합니다. ② [앨범]을 터치합니다. ③ [모두 보기]를 터치합니다
④ [Kakao Talk]폴더를 터치합니다. ⑤ 저장경로 확인을 위해 [사진] 한 장을 선택합니다.
2 ① 우측 하단에 점 세 개 [더보기]를 터치합니다. ② [상세정보]를 터치합니다. ③ 사진의 저장경로 [내장 메모리/Pictures/KakaoTalk]을 확인할 수 있습니다. **3** ① [동영상]파일을 선택 후 우측 하단에 점 세 개 [더보기]를 터치합니다. ② [상세정보]를 터치합니다. ③ 동영상의 저장경로 [내장 메모리/Movies/KakaoTalk]을 확인할 수 있습니다.

■ 오디오, 문서 파일 '내 파일' 앱에서 찾기

1 ① [내 파일]앱을 엽니다. ② [내장 메모리]를 선택합니다. **2** ① 내장 메모리 목록 단추 [▼]를 엽니다. ② [전체]를 선택합니다. ③ [Download]를 터치합니다. ④ [KakaoTalk]을 터치합니다. **3** 한글, PDF 파일 등의 문서와 오디오 파일이 있습니다. PDF 파일을 꾹 누르고 하단에 [더보기] > [상세정보]에서 저장 경로를 확인할 수 있습니다.

8. 카카오톡 친구 찾아서 자료 전달하기

■ 보이는 화면에 없는 경우 정보 링크 공유하기

1️⃣ ① 카카오톡 앱을 실행 후 채팅 [💬]을 터치합니다. ② 자료가 있는 [채팅방]을 선택합니다.
2️⃣ 링크를 공유하기 위해 정보 글 옆에 [말풍선]을 터치합니다. 3️⃣ ① [친구]를 선택합니다.
② [친구]목록 상단의 검색창 [돋보기]를 터치합니다. ③ [친구 이름 검색]을 터치합니다.

1️⃣ ① 검색창에 공유할 [친구 이름]을 입력합니다. ② 검색된 친구 [프로필]을 터치합니다.
③ [메시지]를 입력합니다. ④ [보내기]를 터치합니다. 2️⃣ 메시지가 전달되었다는 팝업창이 뜨면
[채팅방 이동]을 터치합니다. 3️⃣ 정보 공유 링크와 함께 메시지 전달까지 된 것을 확인할 수 있습니다.

■ 카카오톡 친구 초성으로 검색하고 자료(PDF, HWP, MP3) 보내기

1 ① 카카오톡 앱 실행 후 하단에 친구 [👤]아이콘을 터치합니다. ② [친구]에서 상단의 검색 [🔍] 을 터치합니다. 상단에 [친구, 채팅, 채널, 뷰 검색]을 터치합니다. **2** ① 검색창에 찾을 친구의 [초성]을 입력합니다. (예: 김채완 > ㄱㅊㅇ / 채팅방의 경우 스마트폰활용지도사그룹 > ㅅㅁㅌㅍㅎㅇㅈㄷㅅㄱㄹ) ② [친구]탭을 선택합니다. (채팅방은 '채팅'탭을 선택) ③ 아래쪽에 'ㅎㅇㅈ' 초성이 들어간 친구 목록이 나타나면 자료 보낼 [채팅방]을 선택합니다. ④ 친구의 프로필이 나타나면 [1:1채팅]을 터치합니다. **3** ① 좌측 하단에 [+]를 터치합니다. ② 좌우로 드래그해서 [파일]을 터치합니다.

1 ① [내 파일]을 터치합니다. ② [내장 메모리]를 터치합니다. **2** ① [Download]를 터치합니다. ② [KakaoTalk]을 터치합니다. **3** ① 전송할 [PDF 파일]을 선택합니다. ② [완료]를 터치합니다. ③ 파일 전송이 완료되었습니다.

※ 사진과 동영상파일은 [5. 사진 묶어보내기 참고하시면 됩니다.]

9. 카카오톡 보다 더 빠른 사진 동영상 내 PC로 옮기는 법 '퀵쉐어' 앱 활용하기

Quick Share는 갤럭시 기기에 저장된 콘텐츠를 무선 통신 기술을 이용하여 주변의 삼성 갤럭시 기기 (갤럭시 폰, 갤럭시 탭, 갤럭시 북)를 사용하는 상대방에게 쉽고 빠르게 전송할 수 있는 파일 공유 기능입니다. 타사 제품이나 타 기기는 링크 공유(1일 5GB 제한)를 통해 전송할 수 있습니다. 스마트폰이나 태블릿에서는 퀵패널 창에서 퀵쉐어 앱을 찾아 활성화하고, 노트북에서는 퀵쉐어 프로그램을 실행하면 됩니다.

> **Quick Share를 지원하는 모바일 기기:** One UI 2.1이상의 안드로이드 10(Q OS)가 적용된 갤럭시 기기부터 지원, One UI 2.0 이하 기기와는 Send To Device(기기로 보내기)와 호환이 되어 파일 송수신 가능
>
> **Quick Share를 지원하는 PC 모델 :** Galaxy Book Pro 360 / Galaxy Book Pro / Galaxy Book Go / Galaxy Book(21년 출시 제품) / Galaxy Book Ion /Galaxy Book Ion 2 /Galaxy Book Flex / Galaxy Book Flex alpha / Galaxy Book Flex 2 / Galaxy Book Flex 2 alpha / Galaxy Book S(20년출시) / Samsung Notebook Odyssey(2020년 출시)/ Samsung Notebook Plus / Samsung Notebook Plus2/ ALL-IN-ONE PC(21년 출시)

■ 퀵쉐어 스마트폰 기본 설정하기

1 ① 홈 화면 상단을 아래로 길게 스와이프해 퀵패널 창이 나오면 좌, 우로 페이지 이동 후 [Quick Share]앱을 찾습니다. ② 기본 설정 [받지 않음]으로 비활성화되어 있는 [Quick Share]앱을 꾹 누릅니다. **2** ① 퀵쉐어 설정에서 '휴대전화 이름' 옆에 [연필 모양] 아이콘을 터치합니다. ② [찾기 쉬운 이름]을 입력합니다. ③ [완료]를 터치합니다. ④ '공유 허용 대상'에 [받지 않음]을 터치합니다. ⑤ [주변에 있는 사람]을 선택합니다. **3** ① '다른 사람에게 내 방향 알려주기'를 켭니다. ② '만료된 파일 자동 삭제'는 [사용 안 함]을 선택합니다.

> [공유 허용 대상]
> **받지 않음** : 퀵쉐어 기능 사용하지 않습니다.
> **저장된 연락처만** : 삼성 계정에 로그인이 되어 있어야 하고, 연락처가 저장이 되어 있어야만 사용할 수 있습니다.
> **주변에 있는 사람** : 주변에 있는 모든 사람이 나에게 공유할 수 있습니다. (추천)

※ 다시 상단 바를 아래로 스와이프하면 퀵패널 창에 퀵쉐어 앱이 파랗게 활성화되어 있습니다.

■ 퀵쉐어 PC에 설치하고 삼성 계정 로그인하기 (2021년 삼성 올 인원 PC 기준)

갤럭시 탭이나 갤럭시 노트북은 기본적으로 설치가 되어 있지만, 설치되어 있지 않을 경우에 설치 경로는 다음과 같습니다.

①		컴퓨터 바탕화면 좌측 하단에 [윈도우] 키를 클릭합니다.
②		[Microsoft Store]를 클릭합니다.
③		Microsoft Store에서 [앱]을 선택하고 검색창에 [Quick Share]를 입력합니다.
④	**Quick Share** 앱 • 유틸리티 및 도구 Samsung Electronics Co. Ltd. 2.3★ 평균 / 111 평점 / IARC 3+ 연령별 등급 (IARC 3+) Quick Share는 갤럭시 기기에 저장된 콘텐츠를 무선 통신 기술을 이용하여 주변의 삼성 갤럭시 기기(갤럭시 폰, 갤럭시 탭, 갤럭시 북)를 사용하는 상대방에게 쉽고 빠르게 전송할 수 있는 파일 공유 기능입니다.	검색 결과 하단에 'Quick Share' 앱이 뜨면 우측에 [다운로드]를 클릭합니다. 다운로드가 완료되면 [열기]를 클릭합니다.
⑤		**주변 사람들과 파일 공유하기** 주변에 있는 Galaxy 휴대전화/ 태블릿, 컴퓨터에 사진, 문서 등을 바로 공유할 수 있습니다. 공유할 때 "더 많은 연락처를 보려면 삼성 계정에 로그인하세요"가 나오면 [로그인]을 클릭합니다. (건너뛰기를 해도 되지만 로그인을 하는 것이 여러 가지로 편리합니다.)
⑥		삼성 계정으로 로그인에서 이메일 또는 휴대 전화에 [gmail 계정]을 입력 후 [다음]을 클릭합니다. 비밀번호 입력에 [삼성 계정 비밀번호]를 입력 후 [다음]을 클릭합니다. ※ 혹시 삼성 계정이 없다면 '계정 만들기'를 하시고 비밀번호를 모르는 경우는 '비밀번호 찾기'를 하시면 됩니다.

■ 퀵쉐어 PC 설정하기

▶ Quick Share가 실행된 후
① "나에게 파일을 보낼 수 있는 사람을 선택하세요." 에 목록 펼치기 [▼]를 클릭합니다.
② [주변에 있는 사람]을 선택합니다.
③ 우측상단에 옵션 더보기 [점 세 개]를 클릭합니다.
④ [설정]을 클릭합니다.

설정 상세 메뉴는 다음과 같습니다.
- **삼성 계정**: 삼성 계정 로그인 / 로그아웃을 할 수 있습니다.
- **컴퓨터 이름**: [편집]을 눌러 이름을 변경할 수 있습니다.
- **다운로드 경로**: [폴더 변경]을 눌러 저장 경로를 변경할 수 있습니다. 기본 저장 경로는 내 PC / Downloads / Quick Share입니다.
- **테마**: 어둡게 / 밝게 / 시스템 설정 사용
- **시작 시 백그라운드에서 자동 실행**
- **HDR10 +와 고화질 동영상을 일반화질로 변환**
기본적으로 [사용 안 함]으로 설정되어 있습니다.

■ 스마트폰에서 PC로 파일 전송하기

1 먼저 파일을 전송받을 PC의 화면이 켜져 있는지 확인 후 ① 스마트폰에서 [갤러리]앱을 엽니다. ② 하단 메뉴에서 [앨범]을 선택합니다. ③ 전송할 사진이 있는 [폴더]를 선택합니다. **2** ① 전송할 [사진]을 선택합니다.(전체 선택은 좌측 상단 [전체]를 체크해줍니다.) ② 하단에 [공유]를 터치합니다. ③ 여러 공유 앱이 뜨면 [Quick Share]앱을 선택합니다. **3** ① 내 기기에 공유에서 [내 기기]를 선택합니다. ② 스마트폰 화면에 [연결 중]이 뜹니다. ③ 전송이 완료되면 스마트폰 화면에 [보냄]이 뜹니다. 참고로 최초 사용 시에 스마트폰과 PC를 블루투스로 연결하는 메시지가 뜨며, 스마트폰에 표시된 PIN 번호를 PC에 입력하면 연결이 됩니다.

〉 내 PC 〉 로컬 디스크 (C:) 〉 사용자 〉 82104 〉 다운로드 〉 Quick Share ←	내 PC 〉 다운로드 〉 퀵쉐어 폴더에 저장됩니다.

※ 내 PC와 스마트폰에 [삼성계정 로그인]이 되어 있으면 수락 여부 없이 바로 전송이 되어 편리합니다.

■ 모든 기기에 공유하기 / 앱으로 링크 공유 폴더 공유하기 (파일 용량 제한 5GB, 다운로드 유효기간 2일)

  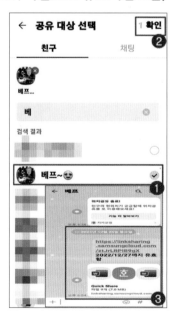

1 ① [내 파일]앱을 엽니다. ② 내 파일에서 [문서]를 선택합니다. ③ 문서에서 [카카오톡] 폴더를 선택합니다. ④ 공유에서 [퀵쉐어]를 선택합니다. **2** ① 모든 기기에 공유에서 [앱으로 링크 공유]를 터치합니다. ② [카카오톡]앱을 선택합니다. **3** ① 파일 전송할 [친구]를 선택합니다. ② 친구가 체크되면 우측 상단에 [확인]을 터치합니다. ③ 파일 전송이 완료되었습니다.

PC에서 다운로드하고 압축 풀기	스마트폰에서 다운로드하고 압축 풀기
① PC에서 [카카오톡]을 엽니다.	① 스마트폰에서 [카카오톡]을 엽니다.
② 링크가 있는[채팅방]을 엽니다.	② 링크가 있는 [채팅방]을 엽니다.
③ 공유된 [링크]를 클릭합니다.	③ 공유된 [링크]를 터치합니다.
④ 퀵쉐어 클라우드가 열리면 [다운로드]를 클릭합니다.	④ 퀵쉐어 클라우드가 열리면 [다운로드]를 터치합니다.
⑤ 개별 파일 다운로드 / ZIP 파일로 다운로드 중에 [ZIP 파일로 다운로드]를 클릭합니다.	⑤ 압축 중 > 다운로드 중 > 다운로드가 완료되었습니다. ※ 파일을 다운로드하면 다운로드 폴더에 저장됩니다.
⑥ 저장 경로 / 파일 이름을 확인 후 [저장]을 클릭합니다.	⑥ 홈버튼을 누르고, [내 파일] 앱을 엽니다.
	⑦ 내 파일에서 [다운로드]를 터치합니다.
⑦ 저장된 [퀵쉐어 ZIP 파일]을 선택하고 [우 마우스]를 클릭합니다.	⑧ 다운로드에서 오늘 날짜의 [퀵쉐어]폴더를 선택합니다.
	⑨ 연결프로그램에서 [한 번만 / 내 파일]을 터치합니다.
⑧ [여기에 압축 풀기]를 클릭합니다.	⑩ [압축 풀기]를 터치합니다.
⑨ 압축 풀기 완료에서 [닫기]를 클릭합니다.	⑪ 파일 압축 풀기에서 [압축 풀기]를 터치합니다.
⑩ 전송된 파일 9개가 있습니다.	⑫ 압축 풀기가 완료되었습니다.

[🏠 ▶ 내장 메모리 ▶ Download ▶ QuickShare_2212252123] 스마트폰 저장 경로는 [내 파일 > 내장 메모리 > 다운로드 > 퀵쉐어]입니다.

memo ✍

_____

_____

_____

_____

_____

1. 시크릿 모드 사용

1️⃣ [유튜브] 앱에서 우측 상단의 [내 계정]을 터치합니다.

2️⃣ [시크릿 모드 사용]을 터치하면 내 계정이 비활성화 상태가 됩니다.

3️⃣ 시크릿 모드 전환 알림 팝업창의 [확인]을 터치합니다. [시크릿 모드]에서는 검색과 시청한 내용이 기록이 되지 않습니다.

1️⃣ 시크릿 모드 사용 중지를 위해 우측 상단의 [시크릿 모드] 아이콘을 터치합니다.

2️⃣ [시크릿 모드 사용 중지]를 터치합니다. 3️⃣ [계정 복구]된 것을 확인할 수 있습니다.

2. 유튜브 알림이 너무 많이 올 때 한 번에 정리하기

스마트폰 상단 알림 표시줄에 유튜브 영상 알림이 필요 이상으로 많이 뜨는 경우 구독한 채널과 유튜브 알고리즘에 의해 맞춤 동영상 알림이 뜨는 경우가 많습니다.

1️⃣ 유튜브 알림을 해제를 위해 우측 상단의 [내 프로필]을 터치합니다.
2️⃣ 하단의 [설정]을 터치합니다.
3️⃣ 하단의 [알림]을 터치합니다.

1️⃣ [맞춤 동영상] 시청한 동영상으로 내가 좋아할 만한 동영상에 대한 알림 수신을 해제하기 위해 터치합니다.
2️⃣ [맞춤 동영상] 알림을 비활성화된 것을 확인할 수 있습니다.

1 유튜브 화면에서 ① [구독] 버튼을 터치한 후 우측 상단에 ② [전체] 버튼을 터치합니다.
2 내가 구독 중인 채널 리스트가 노출되면, 우측 상단에 [관리] 버튼을 터치합니다.
3 [종 모양]을 터치해 구독 중인 채널의 알림을 해제할 수 있습니다.

1 ① [종 모양]을 터치해 ② 구독 중인 채널의 알림을 선택해 해제할 수 있지만, 좌측으로 드래그해서 구독 취소 버튼을 터치해도 구독 취소됩니다. **2** 유튜브 설정 화면에서 [알림] 터치해 **3** ① 구독 중인 채널의 ② [알림 수신]을 전체 해제할 수 있습니다. [채널 설정]에서 채널별로 알림을 설정할 수도 있습니다.

3. 유튜브 YouTube 시간 관리 도구 [시청 시간 조정하기]

유튜브 영상 시청 시 스스로 통제를 하기 위해 유튜브 시청 시간 조정장치를 설정해놓으면 유익할 것입니다.

1️⃣ 유튜브 시청 시간 조정을 위해 우측 상단의 [내 계정 아이콘]을 터치합니다.
2️⃣ [시청 시간]을 터치합니다. 3️⃣ ① [일일 평균], ② [오늘], ③ [지난 7일]의 유튜브 시청 시간을 알 수 있습니다.

1️⃣ [시청 중단 시간 알림]을 활성화시킵니다.
2️⃣ [알림 빈도]를 아래위로 스크롤 하여 1시간 단위, 5분 단위로 설정하고 [확인]을 터치합니다.
3️⃣ [시청 중단 시간 알림] 영상 하단에 설정한 시간 단위로 표시됩니다.

1 [취침 시간 알림]을 설정할 수 있습니다. ① [시작 시간]과 ② [종료 시간]을 설정하고 ③ [확인]을 터치합니다. 동영상 시청을 완료할 때까지 기다린 후 알림 유, 무도 설정 가능합니다.

2 시작 시간은 15분 단위로 설정 가능하며, 위아래로 스크롤 하여 선택 후 [확인]을 터치합니다.

3 종료 시간도 같은 방법으로 설정하고 [확인]을 터치합니다.

1 설정한 취침 시간이 되면 취침 시간 알림 팝업창이 보여집니다. [일시 중지]를 터치하면 설정에서 조정하거나 사용 중지할 수 있습니다. **2** ① [시청 중단 시간 알림] ② [취침 시간 알림]을 비활성화 할 수 있습니다.

4. 유튜브 YouTube 화면 밝기 설정

1️⃣ 화면의 밝기 테마를 설정할 수 있습니다. [설정]에서 [일반]을 터치합니다.
2️⃣ [디자인]을 터치하고 밝은 테마 또는 어두운 테마 환경설정을 선택합니다.
3️⃣ [밝은 테마] 사용은 시청화면이 전체적으로 시야가 밝고 시원한 테마로 설정되나 장시간 시청 시 눈의 피로를 줄 수 있습니다.

1️⃣ [어두운 테마] 사용은 스마트폰 화면 반사를 줄여서 눈의 피로를 줄여줍니다.
2️⃣ [기기 테마 사용]은 3️⃣ 스마트폰 기본 설정에서 [디스플레이]를 라이트나 다크화면을 설정해뒀을 경우 그 설정에 따라 자동으로 세팅해줍니다.

5. 유튜브 YouTube 화면 크게 보기

■ 버튼 터치로 화면 크기 설정

1️⃣ 유튜브 영상 시청하면서 화면을 [터치]합니다. 2️⃣ 시청 중인 영상 우측 하단에 [네모 박스]를 터치하면 유튜브 영상을 스마트폰 전체 화면으로 시청할 수 있습니다.

1️⃣ 유튜브 화면 크기조정으로 스마트폰 전체화면으로 시청하다가 시청 중인 영상을 [터치]하면 작은 화면으로 다시 설정할 수 있습니다. 2️⃣ 시청 중인 영상 우측 하단에 [네모 박스]를 터치하면 유튜브 영상을 작은 화면으로 복구된 것을 확인할 수 있습니다.

■ 스마트폰 가로, 세로 회전 버튼 설정

1️⃣ 홈 화면에서 위에서 아래로 한번 쓸어내리면 기기 제어 및 미디어 출력 상단 바가 보여집니다. 상단 바 오른쪽 [세로 자동 회전 버튼]을 터치하면 휴대전화의 방향이 바뀔 때마다 화면도 자동으로 돌아갑니다. 2️⃣ 자동 회전 버튼을 활성화시키면 [가로세로 회전 모드]로 변경됩니다. 3️⃣ 스마트폰을 세로로 놓으면 세로 영상으로 작게 보여지고, 가로로 놓으면 가로 영상으로 스마트폰 전체 화면에 채워집니다. 유튜브뿐만 아니라 기본 설정을 변경했기 때문에 네이버 뉴스 또는 다른 미디어들도 가로모드로 화면을 크게 볼 수 있습니다.

■ 유튜브 영상 화면 쓸어올리기, 내리기

1️⃣ 유튜브 시청 영상을 보면서 영상 화면 손가락을 이용해 [아래에서 위로] 쓸어 올려줍니다.
2️⃣ 영상이 가로 화면으로 전환되어 큰 화면으로 시청하실 수 있습니다.

1️⃣ 반대로 작은 영상으로 되돌리기 위해서는 유튜브 시청 영상을 보면서 영상 화면 손가락을 이용해 [위에서 아래로] 쓸어 내려줍니다. 2️⃣ 영상이 세로 화면으로 전환되어 작은 화면으로 시청하실 수 있습니다.

memo ✍️

1. 손주들과 영상 전화 걸기: 상대방(손주)과 전화할 때 영상으로 얼굴을 보며 통화할 수 있는 기능 [사용 핸드폰: Galaxy S21 5G]

▣ 홈 화면에서 ① [전화기]나 ② [연락처]를 터치합니다. ▣ [돋보기(검색)]를 터치합니다.
▣ 돋보기에서 통화하고 싶은 사람의 이름을 입력합니다. ① 예를 들어 이름 첫 글자 [예]를 쓰면
② 전체 이름 [예쁜딸]과 전화번호가 뜹니다. 처음부터 이름 전체 [예쁜딸]를 입력해도 됩니다.
이름을 터치합니다.

▣ 이름 아래 [카메라]를 터치합니다. ▣ 버튼을 누르고 전화 받기를 기다리는 동안 나의 모습이 큰
영상으로 보이고 [손주 사진]은 작은 영상으로 위에 보입니다. ▣ 상대가 전화를 받으면 [전화를 건
나]는 위에 작은 영상으로 보이고 [전화를 받은 손주]는 큰 영상으로 보입니다.

1️⃣ 영상의 화면을 바꾸고 싶으면 화면의 작은 영상 [나의 사진]을 터치합니다. 2️⃣ [손자의 영상]이 작아지고 나의 영상이 커집니다. 3️⃣ ①은 통화한 시간을 나타내며 통화 요금은 가입하신 요금제에 따라 달라집니다. 통화 종료는 화면을 한 번 터치하면 아래 영상통화와 관련된 메뉴가 보입니다. ②를 터치하면 통화가 종료됩니다.

2. 손주들과 영상 전화 받기

1️⃣ 전화가 오면 파란색 전화기 모양을 오른쪽으로 [드래그]합니다. 2️⃣ 영상통화를 합니다. 화면 전환하는 방법은 걸기와 동일합니다. 3️⃣ 영상통화를 끝내려면 화면을 터치합니다. 터치하면 아래 알림창 화면이 뜹니다. ① 카메라 ② [전환]은 카메라를 전면과 후면으로 바꾸는 기능 ③ [내 소리 차단] 상대방에게 내 소리가 들리지 않게 할 때 사용 ④ 스피커입니다. [초록색]은 사용하고 있다는 표시이고 [하얀색]은 사용하지 않고 있다는 표시입니다. 통화 종료는 가운데 빨간 전화기 버튼을 누르면 됩니다.

3. 손주들과 음성으로 문자 보내기 (인터넷이 안 되는 경우에도 가능)
[사용 핸드폰: Galaxy S21 5G]

- 스마트폰에서 문자 입력이 느리신 분이 활용하면 좋은 기능입니다.

1 [메시지]를 터치합니다. **2** ① [말풍선]을 터치하면 ② 1:1, 그룹 채팅, 단체 문자로 보낼 건지 묻는 알림창이 뜹니다. ③ [1:1 대화]로 문자를 보내보겠습니다. **3** ① [받는 사람] 이름을 입력합니다. ② 예로 아래 입력한 이름 [김찬일]이 뜨면 터치합니다.

1 ① [+]을 터치하면 하단에 메뉴가 보입니다. ② [음성녹음]을 터치합니다. **2** 음성녹음 버튼이 뜹니다. [음성녹음 버튼]을 터치합니다. **3** ① [음성녹음 시간]이 표시되고 ② [녹음 중 표시]가 나타납니다. 녹음을 종료하려면 ③ [완료] 버튼을 터치합니다.

▶ ① [녹음된 음성] 파일이 하얀색으로 표시가 됩니다. 하얀색은 아직 보내지 않은 음성 메시지입니다. ② [보내기 아이콘]을 터치하면 날짜와 요일 그리고 ③ [링크가 전송됨]이 표시됩니다. 녹음된 음성 파일이 [하얀색에서 파란색]으로 바뀝니다. 파란색은 메시지를 보냈다는 표시입니다. [▶]플레이 버튼을 누르면 녹음된 내용을 확인할 수 있습니다.

memo

4. 자주 사용하는 번호를 단축번호로 지정해 놓고 단축번호만 누르면 전화가 바로 걸리는 기능 [사용 핸드폰: Galaxy S21 5G]

1️⃣ 홈 화면에서 [전화]를 터치합니다. 2️⃣ 키패드, 최근기록, 연락처 중에서 ① [키패드]를 선택하고 ② [더보기]를 터치합니다. 3️⃣ 더보기를 터치하면 ① [알림창]이 뜹니다. 알림창에서 ② [단축번호]를 터치합니다.

1️⃣ ① [지정할 단축번호]가 입력되어 있습니다. ② [입력창]을 터치하고 저장할 사람의 이름을 입력합니다. 2️⃣ '아들'을 지정해 보겠습니다. 이름의 초성 ① [아]만 입력해도 이름이 나오며 ② [이름]을 터치합니다. 3️⃣ 지정한 단축번호 '2'에 ① [아들]이 저장됐습니다. ② [3]이 자동으로 입력되어 있으니 [입력창]에 지정하고 싶은 사람의 이름을 입력하면 단축번호 [3]에 저장됩니다. ③ [-]를 누르면 단축번호가 삭제됩니다.

5. 전화 거절 메시지: 전화를 받을 수 없을 때 전화가 오면 상대방에게 전화 거절 이유 및 내용을 메시지로 보내는 기능을 말합니다. [사용 핸드폰: **Galaxy S21 5G**]

1️⃣ 홈 화면에서 [전화]를 터치합니다. 2️⃣ ① [키패드]를 선택하고 ② [더보기]를 터치합니다.
3️⃣ 더보기를 터치하면 [알림창]이 뜹니다. 알림창에서 [설정]을 터치합니다.

1️⃣ 알림창이 뜹니다. 알림창에서 [전화 거절 메시지]를 터치합니다. 2️⃣ ① 메시지 입력창이 나오면 거절 메시지 ② 예를 들어 [잠시 후에 연락드리겠습니다]를 입력하고 ③ [+]를 터치합니다.
3️⃣ ① '잠시 후에 연락드리겠습니다'가 저장되고 [+]가 ② [-]로 바뀝니다. 메시지를 삭제하고 싶으면 ② [-]를 터치하면 됩니다. 메시지 입력창에 필요한 메시지를 작성하고 ③ [+]를 터치하면 거절 메시지를 계속 저장할 수 있습니다. 전화 거절 메시지 사용은 전화를 받을 수 없는 상황일 때 스마트폰 화면의 전화 거절 메시지를 터치해서 문구를 선택하면 바로 상대방에게 그 메시지가 전달됩니다.

6. 통화 자동 녹음: 전화 내용을 자동으로 녹음하려고 할 때 사용하는 기능
[사용 핸드폰: Galaxy S21 5G]

1️⃣ 홈 화면에서 [전화]를 터치합니다. 2️⃣ ① [키패드]를 선택하고 ② [더보기]를 터치합니다.
3️⃣ 더보기를 터치하면 [알림창]이 뜹니다. 알림창에서 [설정]을 터치합니다.

1️⃣ 알림창에서 [통화 녹음]을 터치합니다. 2️⃣ ① [통화 자동 녹음]을 활성화해야 모든 전화가 자동
녹음됩니다. ② [녹음한 통화]를 터치하면 ③ 녹음이 저장된 위치가 보이고 녹음이 ④ [저장된 목록]
도 보입니다. 3️⃣ ①을 터치하여 ② [이름, 날짜, 형식, 크기] 등으로 저장 형식을 바꿀 수 있습니다.
날짜에 체크 표시를 했더니 날짜 순서로 저장돼 있습니다. ③ 통화 녹음을 터치하면 녹음 내용을 확인
할 수 있습니다. [통화 자동 녹음]은 모든 전화를 자동 녹음이 되어 저장공간을 차지하므로 평상시에
는 비활성화를 합니다.

1 홈 화면에서 [전화]를 터치합니다. **2** ① [최근기록]을 선택하고 ② [수신 차단할 번호]를 터치합니다. **3** 차단 번호를 터치하면 ① [알림창]이 뜹니다. 알림창 아이콘 중에서 ② [상세정보]를 터치합니다.

1 상세정보를 터치하면 ① 알림창이 뜹니다. 그중에서 ② [차단]을 터치합니다.
2 ① 수신 차단 메시지 아래 ② [차단]을 터치합니다. **3** 전화번호 위에 ① [차단된 기호]가 생기고 아래쪽에 ② 알림창이 뜹니다. 친구 전화번호를 실수로 차단했을 때는 ③ [차단 해제]를 터치하면 차단이 해제되고 다시 통화 할 수 있습니다. 전화 [설정]에서 [수신 차단]을 선택해서 번호를 직접 입력하거나 [최근 기록]에서 일괄적으로 여러 번호를 한 번에 수신 차단 할 수도 있습니다.

8. 전화 올 때 소리 안 나게 (무음 처리): 조용해야 하는 상황에서 갑자기 전화벨이 울릴 때 대처하는 방법 [사용 핸드폰: Galaxy S21 5G]

1️⃣ 홈 화면에서 [설정]을 터치합니다.

2️⃣ [유용한 기능]을 터치합니다.

3️⃣ [모션 및 제스처]를 터치합니다.

1️⃣ [제스처로 소리 끄기]를 ① [활성화]하면 조용한 장소에서 갑자기 울리는 전화 소리를 멈추게 할 수 있습니다. 2️⃣ 명칭이 달라서 [제스처로 소리 끄기]거나 [간편 무음 전환]입니다. 활성화합니다. 3️⃣ ① [사용 중]을 터치하면 됩니다. ② 손으로 화면을 덮거나 화면이 바닥으로 향하도록 하면 무음(소리가 나지 않음) 상태가 됩니다.

9. 저장된 번호 검색하는 방법 [사용 핸드폰: Galaxy S21 5G]

1️⃣ 저장된 번호를 검색하는 방법은 여러 가지가 있습니다. 여기에서는 ① [전화] ② [연락처]로 검색하는 법을 알아보려고 합니다. 먼저 ① [전화]를 터치합니다. 2️⃣ [돋보기]를 터치합니다.
3️⃣ ① [검색] 터치합니다. ② [이름]을 입력합니다. 입력한 이름의 ③ [심청이] 전화번호가 뜹니다.

1️⃣ 심청이를 터치하면 [전화, 메시지, 영상통화, 상세 정보] 등의 아이콘이 뜨고 사용하려고 하는 아이콘을 터치해 사용할 수 있습니다.
2️⃣ ① [연락처]로 저장된 번호를 ② [돋보기]에서 검색할 수도 있습니다.
3️⃣ 검색에서 ① [심청이]를 입력하면 ② [심청이]의 전화번호가 뜹니다. 초성 ③ [ㅅㅊㅇ]만 입력해도 저장된 ④ [심청이] 번호를 찾을 수 있습니다.

10. 벨소리 변경하기 [사용 핸드폰: Galaxy S21 5G]

1 홈 화면에서 [설정]을 터치합니다.

2 [소리 및 진동]을 터치합니다.

3 ① 소리, 진동, 무음을 선택할 수 있고 컬러링과 알림 소리도 변경할 수 있습니다. ② [벨소리]를 터치합니다.

1 ① [Galaxy Bells]로 벨소리가 선택된 것을 확인할 수 있습니다. 아래로 내리면 다양한 벨소리가 있습니다. 선택해 들어보고 좋아하는 소리로 지정하면 됩니다. 이 외에 좋아하는 음악으로 벨소리를 바꾸고 싶으면 ② [+]를 터치합니다. **2** 기기의 음악 폴더의 [임영웅]의 노래를 선택했습니다.

3 벨소리가 [Galaxy Bells]에서 [임영웅의 별빛 같은 나의 사랑아]로 바뀌었습니다.

10강 스마트폰 문자 기능 얼마나 알고 계신가요?

1. 문자 사진 오디오 파일 공유 방법

1 ① [메시지]를 터치합니다. ② 오른쪽 아래의 [말풍선 아이콘]을 터치하고 ③ [1:1 대화]를 터치합니다. **2** ① [받는 사람]에서 [이름 또는 번호 입력]으로 메시지를 받을 사람을 검색합니다. ② [~님과 대화] 또는 [+]를 터치하여 [대화 멤버]를 선택합니다. **3** ① [대화창] 왼쪽의 [이미지 아이콘]을 터치합니다. ② [갤러리] 아이콘을 터치합니다. ③ [사진], [앨범] 별로 사진을 선택할 수 있습니다.

1 ① [사진]을 선택합니다. [10개]까지 가능합니다. ② [완료]를 터치합니다. **2** ① 선택한 사진이 첨부된 것을 볼 수 있습니다. ② [보내기] 아이콘을 터치해야 [사진 보내기]가 완료됩니다. **3** ① 대화창 왼쪽의 [+] 아이콘을 터치합니다. ② [이미지], [동영상], [오디오]를 메시지에 첨부하여 보낼 수 있습니다.

2. 검색 아이콘으로 받은 사진 보여준다.

1 ① [메시지]에서 [검색 아이콘]을 터치합니다. ② 단어, 숫자로 [검색]할 수 있습니다.
③ [사진과 동영상] 부분을 터치하면 사진, 동영상만 볼 수 있습니다. ④ [링크], [기타] 파일로 검색됩니다. **2** ① [사진]을 [롱터치]하면 ② [전달] 또는 [공유] 가능합니다. ③ [사진]을 터치합니다.
3 터치한 [사진]이 있는 [메시지]로 이동합니다.

3. 광고 및 대출 문자 안 받기
■ 수신 차단

1 [수신 차단]할 메시지를 [롱터치]합니다. **2** ① [삭제]할 메시지가 선택되고 ② 하단의 [삭제]
아이콘을 터치합니다. **3** ① [번호도 함께 차단] 부분을 반드시 체크해야 **전화와 메시지를 더 이상 받지 않습니다.** ② [휴지통으로 이동]을 터치합니다.

■ 입력한 번호로 시작할 때 등

1 ① 메시지에서 [: 더보기]를 터치하고 ② [설정]을 터치합니다.

2 ① [전화번호 및 스팸 차단]을 터치하고 [수신 차단]을 터치합니다.

3 [입력한 번호와 일치할 때]를 터치합니다.

1 [입력한 번호로 시작할 때]를 터치해서 **2** ① [번호]를 입력합니다. ② [+]를 터치해서 번호를 추가합니다. [070]으로 시작하는 번호는 차단한다는 뜻입니다. **3** 스크롤 해서 위로 올리면 [입력한 번호로 시작할 때] 부분에 [070] 번호가 추가된 것을 확인할 수 있습니다. [입력한 번호와 일치, 끝날 때, 포함할 때] 등으로 조건을 변경하여 [수신 차단]할 수 있습니다.

■ 차단 문구

1 [전화번호 및 스팸 차단]의 [차단 문구]를 터치합니다. **2** ① [차단할 문구 입력]에 [대출] 단어를 입력하고 ② [+]를 터치합니다. ③ [대출] 단어가 포함된 메시지는 모두 차단되며, 스팸으로 분류된다는 알림이 나오면 [확인]을 터치합니다. **3** 입력한 단어가 추가된 것을 확인할 수 있습니다. 삭제도 할 수 있습니다.

4. 인증 번호 안 올 때

  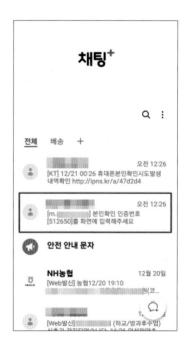

1 ① [메시지 설정]의 ② [전화번호 및 스팸 차단]을 터치합니다. ③ [차단 메시지]에 [인증 번호]가 있는 메시지가 있습니다. **2** ① [차단된 인증 번호] 메시지를 [롱터치]합니다. ② 메시지가 선택되면 ③ 하단의 [복원]을 눌러 [차단 메시지]에서 복원시킵니다. **3** 메시지 목록에 복원된 [인증 번호 메시지]가 있는 것을 확인할 수 있습니다.

5. 보이스피싱 방지

1 ① [문자 메시지 번호]와 ② [국외 발신]인지 확인한 후 ③ [전화 문의]가 있을 때 [절대로 전화하면 안 됩니다.] ④ [농협]이라고 하지만 [국제 발신]이기 때문에 ⑤ 절대로 전화하면 안 됩니다. **2** ① [배송 관련 문의 링크]나 ② [장소 클릭] 링크도 터치하면 안 되고 링크에서 [가입]도 하면 안 됩니다. **3** ① [링크] ② [전화번호] 터치하지 말고 바로 [문자를 바로 차단]하고 [수신 차단]을 하는 게 좋은 방법입니다.

6. 단체 문자 보내기

1 ① 메시지 화면 하단의 [말풍선 아이콘]을 터치하고 ② [단체 문자] 아이콘을 터치합니다.
2 ① [받는 사람]을 이름, 번호로 검색하여 ② 번호를 터치합니다. ③ 한 명이 [추가]된 것을 확인할 수 있습니다. ④ [다른 사람을 검색]하여 터치합니다. **3** ① 단체 문자 받을 사람 수를 확인하고 ② [문자]를 입력하고 [보내기] 버튼을 터치합니다. ③ [단체 문자]가 발신된 것을 확인할 수 있습니다. [받는 사람]은 각각 문자를 받습니다. [연락처]에서 [그룹]을 만들어서 그 그룹에 단체 문자를 보낼 수도 있습니다.

7. 메시지 1 표시가 나오면 읽지 않은 상태

  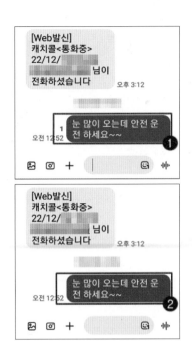

1 ① [⋮ 더보기]의 [설정]에서 ② [채팅+ 설정]을 터치합니다. **2** ① [채팅+ 관리]를 터치하고 ② [채팅+ 켜기]를 합니다. [채팅+]가 활성화 되어 있어야 [메시지 채팅] 기능을 사용할 수 있습니다. **3** ① [메시지 입력]을 하고 보내면 [파란색] 말풍선에 내용이 보여지고 왼쪽에 [숫자 1]이 생깁니다. ② 상대방이 [메시지를 읽으면 숫자 1]이 없어집니다. [채팅+] 기능은 [1:1 채팅, 그룹 채팅, 대용량 파일 전송]을 할 수 있습니다.

1 ① 메시지를 잘못 보낼 때 [삭제]를 할 수 있습니다. 잘못 보낸 메시지를 [롱터치]합니다.
2 [삭제]를 터치합니다. [5분] 안에 잘못 보낸 메시지를 [삭제 가능]합니다.
3 ① 메시지 보내기를 취소 안내가 나오면 [완료]를 터치합니다. ② [보내기 취소된 메시지]라고 나옵니다.

8. 빠른 답장 문구

1 ① [메시지 설정]에서 ② [추가 설정]을 터치합니다. ③ [빠른 답장 문구]를 터치합니다. 메시지를 빠르게 보내거나 긴 문장을 [터치]만으로 간단하게 보낼 수 있습니다. **2** ① [빠른 답장 문구]에서 새로운 문구를 저장해 놓을 수 있습니다. [문구 입력]을 하고 [+]를 터치하여 추가합니다.
② 입력된 문구를 [-]를 터치하면 삭제도 됩니다. **3** 메시지에서 보낼 때는 먼저 메시지 입력창 왼쪽의 [+]를 터치합니다.

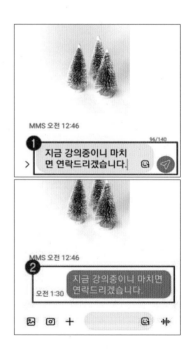

1 [빠른 답장 문구]를 터치합니다. **2** [빠른 답장 문구] 중에서 [보낼 문구]를 터치합니다.
3 ① 문구가 메시지 입력창에 입력이 되어 있습니다. [보내기]를 터치하면 문구가 전송됩니다.
② 문구를 빠르게 쉽게 보낼 수 있습니다.

9. 웹 링크 미리보기

1 ① [메시지 설정]에서 ② [추가 설정]을 터치합니다. ③ [연락처에서 보낸 웹 링크 미리보기]를 활성화합니다. **2** 미리보기 활성화가 안 되어 있는 경우 메시지에서 [링크만] 볼 수 있습니다.
3 [웹 링크 미리보기]가 설정된 경우 [미리보기] 화면이 [링크]와 같이 볼 수 있습니다.

10. 이미지 공유 시 위치 삭제

  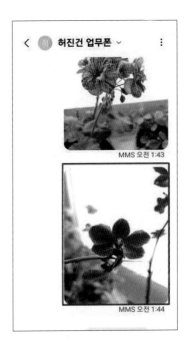

1 [메시지 설정]의 [추가 설정]을 터치합니다. **2** [이미지 공유 시 위치 삭제]를 활성화합니다.
3 메시지에서 [이미지]를 터치합니다.

1 하단의 [저장]을 터치해서 저장합니다. [갤러리]에 저장됩니다. **2** [갤러리]에서 저장한 사진을 터치하면 ① 오른쪽 아래에 [더보기]를 터치합니다. ② [상세정보]를 터치합니다.

3 ① [위치 정보가 있는 경우] 상세정보에 [위치]가 있습니다. ② [이미지 공유 시 위치 삭제]가 설정되었을 때 이미지를 저장하더라도 [위치 정보]가 저장되지 않습니다. [개인정보 보호]를 위해서 [위치 정보 공유]는 중요합니다.

11. 문자 검색

1 ① 메시지에서 [검색] 아이콘을 터치합니다. ② 검색할 [단어]를 입력하면 ③ 단어가 포함된 [메시지]가 검색이 됩니다. [숫자]로도 검색할 수 있습니다. **2** [단어]가 포함된 [대화], [연락처]도 검색이 됩니다. **3** 검색된 부분을 터치하면 [해당 메시지]로 이동합니다.

12. 문자 메시지 카테고리 설정으로 가독성을 높여보자

1 [카테고리]를 만들어 문자를 가독성 있게 확인할 수 있습니다. ① 메시지에서 [문자 목록] 상단의 [+]를 터치합니다. ② [카테고리]가 내 대화를 바탕으로 생성되어 있습니다. 추가할 [카테고리]를 터치합니다. ③ [추가]를 터치합니다. **2** ① 목록 상단에 선택한 카테고리가 추가되어 있습니다. ② 카테고리를 [직접 추가] 할 수 있습니다. **3** ① 카테고리 [이름]을 입력합니다. ② [추가]를 터치합니다. ③ [도서관] 카테고리가 생성되었습니다.

1 ① [도서관] 카테고리를 터치하면 하단에 ② [+ 대화 추가]를 할 수 있습니다. ③ 추가할 메시지를 [선택]하고 ④ [완료]를 터치합니다. **2** 메시지의 [더보기] 메뉴에서 ① [카테고리 편집]을 터치합니다. ② 카테고리를 [편집]할 수 있습니다. **3** ① 편집할 카테고리를 선택하면 [위치]를 이동해 순서를 바꿀 수 있습니다. ② 선택한 [카테고리]를 [이름 변경]을 할 수 있고 ③ [삭제] 할 수 있습니다.

1. 구독 취소하기

1️⃣ 홈 화면에서 [Play 스토어]를 터치합니다.
2️⃣ [내 계정 아이콘]을 터치한 후
3️⃣ [결제 및 정기 결제]를 터치합니다.

1️⃣ [정기 결제]를 터치합니다.
2️⃣ [정기 결제하는 앱]목록이 나타나면 [구독 취소할 앱]을 선택합니다.
3️⃣ [구독 취소]를 터치합니다.

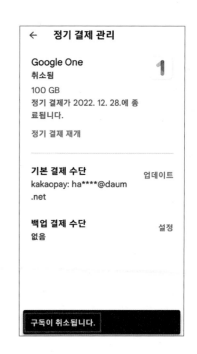

1️⃣ ① 해당되는 [취소사유]를 선택한 후 ② [계속]을 터치합니다.

2️⃣ [구독 취소]를 터치합니다.

3️⃣ [구독]이 취소됩니다.

2. 개인정보 보호를 위해 2단계 인증 설정하기

1️⃣ [Play 스토어]에서 [내 계정 아이콘]을 터치합니다.

2️⃣ [Google 계정 관리]를 터치합니다.

3️⃣ [보안 탭]을 터치합니다.

1️⃣ [2단계 인증]을 터치합니다.

2️⃣ [메시지를 받을 수 있는 기기]목록이 나타납니다.

3️⃣ 하단에 [계속 버튼]을 터치합니다.

1️⃣ ① [문자 메시지]로 코드 받기에 [체크]한 후 ② [보내기]를 터치합니다.

2️⃣ ① 문자로 온 [코드 번호]를 ② 입력하고 ③ [다음]을 터치합니다.

3️⃣ [사용 설정]을 터치합니다.

▶ [2단계 인증]된 것을 확인할 수 있습니다.

3. 숨어 있는 앱 찾기

1️⃣ 홈 화면에 [앱스 버튼]을 터치합니다.
2️⃣ [검색 상자]를 터치한 후
3️⃣ 예로 앱 이름 [배달의 민족]을 입력하고 검색합니다.

1️⃣ 배달의 민족 아이콘이 [표시]되면 2초 정도 눌러서 [앱 위치 찾기] 팝업창이 뜨면 [홈에 추가]를 터치합니다.

2️⃣ 홈 화면에 [배달의 민족] 앱 아이콘이 생성되었습니다.

스마트폰 활용 마스터

4. 보안 폴더에 앱 숨겨놓기

1️⃣ 홈 화면에서 [상태 알림줄]을 아래로 드래그합니다.

2️⃣ 빠른 실행 창에서 [보안 폴더]를 활성화합니다.

3️⃣ 보안 폴더 안에는 [기본 폴더]가 세팅되어 있습니다.

1 보안 폴더에서 [+]표시를 터치하면 앱을 추가할 수 있습니다.

2 ① [Play 스토어나 Galaxy 스토어]에서 앱 검색 및 ② [휴대폰]에서 ③ [앱 추가]를 할 수 있습니다. **3** [돋보기]를 터치하면 보안 폴더 안에 있는 앱을 검색할 수 있습니다.

1 [더보기]를 터치하면 **2** 주요 기능으로 파일 추가 및 설정 기능(잠금 형식)을 사용할 수 있습니다. **3** 파일 추가로 이미지, 동영상, 오디오, 문서 등을 추가할 수 있습니다. (해제 시는 보안 폴더에서 내보내기)

① 설정에서는 사용자가 편리한 잠금 방식을 지정할 수 있습니다. (예시: 패턴, PIN 방식, 비밀번호, 지문) ② 보안 폴더에서 앱을 설치 삭제하면 보안 폴더 안에서 사라집니다. (휴대폰에서는 남아있음)

memo

1. 축하카드 보내기

[크리에이티브 카드] 앱은 다양한 카드를 만들 수 있는 앱입니다. **1** ① [크리에이티브 카드]를 검색, 설치한 후 ② [열기]를 터치합니다. **2** [크리에이티브 카드] 앱에는 Love card, Birthday card, Christmas card, New Year card 등 여러 가지 카드 템플릿이 있습니다. 이 중에서 [Birthday card]를 선택합니다. **3** [Birthday card] 중 원하는 카드 템플릿을 터치합니다.

1 ① 카드를 터치하면 텍스트 상자가 나오는데 [더블 터치]후 내용을 입력하고 수정할 수 있습니다. ② [하단 메뉴]는 텍스트를 직접 입력, 카드 변경, 스티커, PIP 사진 추가 기능을 사용할 수 있습니다. **2** ① 카드 내용을 입력 후 ② [Done]를 터치합니다. **3** ① 카드에 들어갈 내용을 입력하고 ② [저장]을 터치합니다.

2. 픽사베이 활용하기

1️⃣ [픽사베이]는 저작권이 무료인 이미지 사이트입니다. [Play 스토어]에서 ① [픽사베이]를 검색한 후 설치한 다음 ② [열기]를 터치합니다. 2️⃣ ① [픽사베이]는 회원가입 없이 사용할 수 있지만 다운로드 시 보안 문자를 입력해야 하는 불편함이 있으므로 [회원가입/로그인] 후 사용하시는 걸 추천해 드립니다. ② [검색 상자]에 찾고자 하는 키워드를 입력합니다. 3️⃣ ① 예시로 [크리스마스]를 검색합니다. ② [이동]을 터치합니다.

1️⃣ 검색 결과로 [크리스마스 이미지]가 검색되면 다운받을 이미지를 선택합니다.
2️⃣ [무료 다운로드]를 터치합니다. 3️⃣ 이미지 사용하기에 알맞은 해상도를 선택한 후 [다운로드]를 터치합니다. (갤러리에서 저장된 이미지 확인) 다운로드가 되지 않을 경우 해상도를 낮춰서 해보고, 그래도 안 되는 경우 [구글]에서 [pixabay.com] 사이트를 검색해서 사이트에서 직접 입력하여 다운로드해도 됩니다.

3. 감성공장 활용하기

  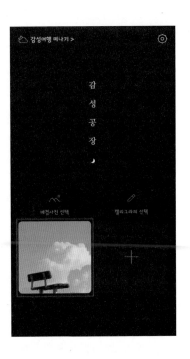

1️⃣ [감성공장]은 이미지와 캘리그라피를 합성해서 카드를 만들 수 있는 앱입니다. [Play 스토어]에서 ① [감성공장]을 검색, 설치한 후 ② [열기]를 터치합니다. 2️⃣ ① [감성공장] 메인화면에 [배경사진], ② [캘리그라피] 선택하는 화면이 나옵니다. 3️⃣ [배경사진]을 터치하고 갤러리에서 저장된 사진을 불러옵니다.

  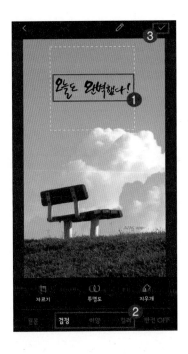

1️⃣ 이번에는 [캘리그라피]를 터치한 후 맘에 드는 글귀를 [선택]합니다. 2️⃣ ① 배경사진과 캘리그라피가 선택되었다면 ② [합성하기]를 터치합니다. 3️⃣ ① 캘리그라피 글귀에서 크기 조절, 위치이동, ② 하단에서 글자색 변경을 합니다. ③ 우측상단에 체크 표시를 터치해서 저장합니다. 완성된 이미지는 [공유하기]를 터치하여 다른 사이트로 공유할 수 있습니다.

1. 무료 음악 다운받기 – 파도 MP3

1 [파도]는 무료로 음악을 다운받을 수 있는 앱입니다. [Play 스토어]에서 ① [파도]를 검색, 설치한 후 ② [열기]를 터치합니다. **2** [검색창]이 나타납니다. **3** ① 검색창에 [이문세]를 입력하고 ② [돋보기]를 터치합니다.

1 ① 이문세 노래 목록이 검색되면 다운로드할 노래 제목 우측에 [구름모양] 아이콘을 터치합니다. **2** 팝업창이 뜨면 [DOWNLOAD]를 터치합니다. **3** 하단에 다운로드되었다는 [메시지]가 뜹니다. (다운로드 위치에 저장됨) 음악 폴더에서도 확인이 가능합니다.

2. 다운받은 음악 관리하기 – 파일 관리자

  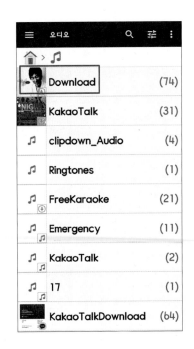

1 [파일 관리자(F)]는 휴대폰에 있는 모든 파일을 한눈에 확인할 수 있어 편리합니다. [Play 스토어]에서 ① [파일 관리자]를 검색, 설치한 후 ② [열기]합니다. **2** [파일 관리자]가 열리면 [오디오]를 터치합니다. **3** [다운로드] 폴더를 터치합니다.

▶ 다운로드한 [음악파일]을 한눈에 확인할 수 있습니다.

3. 스마트폰 갤러리에서 영상 만들기

1️⃣ 스마트폰 홈 화면에서 [갤러리]를 터치합니다. ① [갤러리]에서 동영상 만들기에 필요한 [사진]을 선택한 후 ② 하단에 [더보기]를 터치합니다. 2️⃣ [만들기]를 터치합니다. 3️⃣ [영화]를 터치합니다.

1️⃣ 다음은 동영상 만들기 화면 설명입니다. ① 미리보기 [재생 버튼]입니다. ② 사진을 [추가]할 수 있고 ③ 사진을 길게 눌러서 좌, 우 원하는 대로 [순서 변경]할 수 있습니다. ④ [재생 시간, 텍스트 추가, 음악, 화면비율]을 설정할 수 있습니다. ⑤ [공유] 또는 ⑥ [저장]할 수 있습니다.

2️⃣ ① 이미지 중간에 [-]를 클릭하면 ② [장면전환]을 다양하게 줄 수 있습니다.

3️⃣ 동영상을 완료하려면 우측 상단에 ① [저장]을 터치합니다. ② [갤러리]에 저장되는 걸 확인할 수 있습니다.

4. 갤러리에서 GIF 만들기

1️⃣ 스마트폰 홈 화면에서 [갤러리]를 터치합니다. ① [갤러리]에서 GIF 만들기로 사용할 [사진]을 선택한 후 ② 하단에 [더보기]를 터치합니다. 2️⃣ [만들기]를 터치합니다. 3️⃣ [GIF]를 터치합니다.

▶ ① [하단 메뉴]에서 속도를 설정할 수 있습니다.
② [저장]을 터치합니다.

5. 갤러리에서 콜라주 만들기

1 스마트폰 홈 화면에서 [갤러리]를 터치합니다. ① [갤러리]에서 콜라주 만들기로 사용할 [사진]을 최대 6장 이내로 선택한 후 ② 하단에 [더보기]를 터치합니다. **2** [만들기]를 터치합니다. **3** [콜라주]를 터치합니다.

1 다음은 콜라주 화면 설명입니다. ① [콜라주 레이아웃, 화면비율, 라운드 크기와 테두리 두께, 테두리 색상]을 설정할 수 있습니다. ② [레이아웃]을 선택할 수 있습니다. ③ [공유], ④ [저장]할 수 있습니다. **2** ① [라운드 크기]와 [테두리 색상]을 적용하고 ② 완성된 화면입니다. ③ [저장]을 터치합니다.

14강 스마트폰 하나면 나도 스마트워커다!

1. 스마트폰과 PC에서 자료 주고받기 - 샌드애니웨어

1️⃣ [Play 스토어]를 터치합니다. 2️⃣ ① 검색창에 [샌드애니웨어]를 입력합니다. ② [샌드애니웨어]를 터치하여 설치합니다. 3️⃣ [샌드애니웨어]를 실행하기 위해 [열기]를 터치합니다.

1️⃣ ① [이용 약관]에 동의합니다. ② [확인]을 터치합니다. 2️⃣ [샌드애니웨어]는 파일을 전송하고 저장하기 위해 권한 허용을 요청합니다. [다음]을 터치합니다. 3️⃣ [샌드애니웨어]에서 기기의 사진 및 미디어에 액세스하도록 [허용]을 터치합니다.

1️⃣ [샌드애니웨어] 다양한 파일 형식을 선택하여 전송할 수 있습니다.

2️⃣ ① 예로 [사진]을 선택합니다. ② 전송할 사진을 선택한 후 ③ [보내기]를 터치합니다.

3️⃣ ① 보내는 기기에서 [숫자 6자리]가 생성되며 받는 기기에서 [받기]를 터치하고 입력창에 [숫자 6자리]를 입력하면 사진이 전송이 됩니다. ② [QR코드]를 스캔하여 파일을 다수의 인원이 동시에 전송받을 수 있습니다. ③ [링크 공유]는 파일 링크 주소를 받은 사람들이 파일을 다운받을 수 있습니다.

1️⃣ 보낼 파일을 전송하기 위해 [확인]을 터치합니다.

2️⃣ ① [전송내역] 탭에서 ② 파일 전송 결과를 확인할 수 있습니다.

3️⃣ 링크 공유를 통한 파일전송은 로그인이 필요합니다. [확인]을 터치합니다.

1 ① [샌드애니웨어]는 [구글 로그인]과 [페이스북 로그인]을 지원하므로 선택하여 사용할 수 있으며, ② 구글 아이디나 페이스북 아이디가 없어도 [무료 회원가입]이 가능합니다.

2 ① 로그인하기 위해서 [약관]에 동의한 후 ② [구글 로그인]을 터치합니다.

3 나타난 계정을 터치합니다.

1 링크 주소 생성을 위해 터치를 합니다. **2** ① 링크 주소가 생성되었습니다. 주소를 길게 터치해서 복사를 합니다. ② 클립보드에 링크 주소가 복사되었다는 메시지가 보이며, 바로 메신저 채팅방 등에 주소를 [붙여넣기]하여 전송할 수 있으며, 주소를 받은 사람은 주소를 터치하여 전송을 받을 수 있습니다.

■ PC에서 샌드애니웨어 사용하기

▶ 스마트폰에 있는 파일을 전송받기 위해 PC에서 [네이버 검색창]에 ① [샌드애니웨어]를 입력하여 검색합니다. ② [Send Anywhere]를 클릭합니다.

1️⃣ [샌드애니웨어]가 실행되며, [받기]의 입력창을 클릭합니다.
2️⃣ 스마트폰에서 [샌드애니웨어]를 실행한 후 전송할 파일을 선택하여 [보내기]를 터치해 생성된 ① [숫자 6자리]를 입력하고 ② 클릭합니다.
3️⃣ 화면 아래에 있는 [전송받은 파일]을 클릭하면 내용을 확인할 수 있습니다.

2. 1시간 동안 타이핑할 자료 5초 만에 텍스트 추출하기 – 텍스트 스캐너

1️⃣ [Play 스토어]를 터치합니다. 2️⃣ ① 검색창에 [텍스트 스캐너]를 입력합니다. [텍스트 스캐너]를 터치하여 ② [설치]합니다. 3️⃣ [텍스트 스캐너]를 실행하기 위해 [열기]를 터치합니다.

  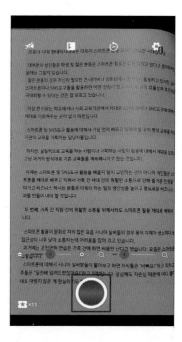

1️⃣ [텍스트 스캐너]에서 허용 선택 창이 열리면 [앱 사용 중에만 허용]을 터치합니다.
2️⃣ ① [밝기]를 조절하는 기능입니다. ② [확대 및 축소] 기능입니다. ③ 스캔하기 위한 [버튼]입니다. ④ [조명] 기능입니다. 3️⃣ 텍스트의 내용을 스캔하기 위해 [버튼]을 터치합니다.

1️⃣ [텍스트]로 변환된 [읽기 결과]를 보여주며 편집을 하기 위해 [연필] 아이콘을 터치합니다.

2️⃣ 내용을 삭제하거나 추가할 수 있으며 수정 후에 [저장] 아이콘을 터치해서 저장합니다.

3️⃣ [읽기 결과]를 음성으로 듣기 위해 [음성]아이콘을 터치합니다.

1️⃣ 텍스트로 편집된 [읽기 결과]를 공유하기 위해 [공유]를 터치합니다.

2️⃣ 공유에 사용할 앱을 선택하여 공유할 수 있습니다.

3️⃣ 갤러리에 있는 사진을 [텍스트 스캐너]로 가져오려면 텍스트 스캐너 첫 페이지 상단 두 번째 [이미지]아이콘을 터치합니다.

1️⃣ [텍스트 스캐너]에서 기기의 사진, 미디어, 파일에 액세스하도록 [허용]을 선택합니다.

2️⃣ 갤러리에서 원하는 텍스트 이미지 [사진]을 선택합니다. 3️⃣ [주사]를 텍스트로 변환되어 [읽기 결과]를 보여주며, 이후 수정하고 삭제하는 [편집]과 [공유]는 앞의 텍스트를 스캔해서 하는 방법과 동일합니다.

1️⃣ 저장되어 있는 텍스트 스캐너 첫 페이지 상단 세 번째 [읽기 내역] 아이콘을 터치합니다.

2️⃣ [읽기 내역] 중에서 편집하거나 공유가 필요한 내역을 바로 터치해서 수행할 수 있으며 삭제할 내역이 있는 경우 상단의 [연필] 아이콘을 터치합니다.

3️⃣ [모든 기록 삭제], [선택한 기록 삭제], [취소] 중에서 원하는 것을 선택합니다.

1 [선택한 기록 삭제]를 선택할 경우 지우려고 하는 [읽기 내역] 앞의 [삭제] 버튼을 터치합니다.
2 [설정]을 터치하면 추가 정보를 설정할 수 있습니다.
3 필요한 옵션들을 활성화할 수 있습니다. 유료 버전으로 업그레이드, 볼륨키의 설정 등을 할 수 있습니다.

나만 알고 싶은 스마트폰 활용 비법

memo

3. 스마트폰 미러링해서 컴퓨터에서 확대해서 사용하기 - 삼성 플로우

1 [Play 스토어]를 터치합니다. **2** ① 검색창에 [삼성 플로우]를 입력합니다. [삼성 플로우]를 터치하여 ② [설치]합니다. **3** [삼성 플로우]를 실행하기 위해 [열기]를 터치합니다.

1 휴대전화를 다른 기기에 연결, 알림 동기화, 휴대전화 화면 공유를 하기 위해 [계속]을 터치합니다.
2 스마트폰에서 [삼성 플로우] 준비가 완료되었습니다.

▶ 구글에서 [삼성 플로우]를 검색합니다.

▶ [삼성 플로우] 홈페이지에 접속해 하단으로 내립니다.

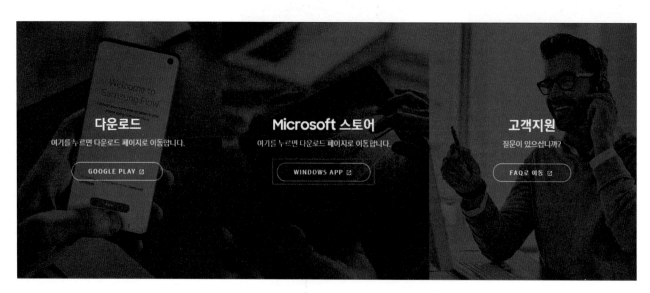

▶ [WINDOWS APP]을 클릭합니다.

▶ ① [스토어 앱에서 다운로드]를 클릭한 후 ② [Microsoft Store 열기] 버튼을 클릭합니다.

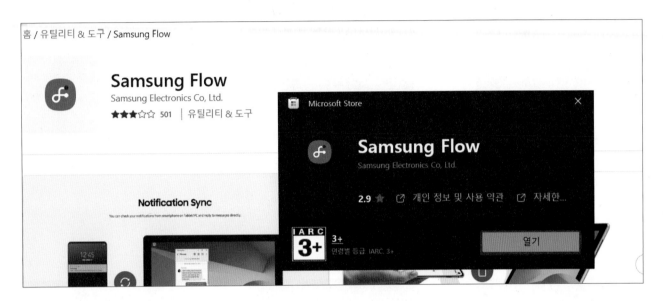

▶ [Microsoft Store]에서 [Samsung Flow]를 다운로드한 후 [열기]를 클릭합니다.

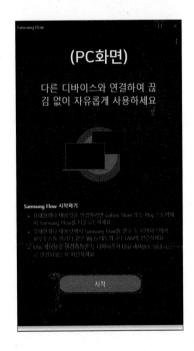

1️⃣ [삼성 플로우]를 사용하기 위해 [본인 인증]을 클릭합니다.

2️⃣ 다른 디바이스와 연결하여 [삼성플로우]를 사용하기 위해 [시작]을 클릭합니다.

1 등록할 새 디바이스 선택을 하기 위해 [블루투스, WiFi 또는 LAN]에 나타난 등록할 새 디바이스를 선택합니다. 2 디바이스 등록을 하려면 인증번호가 필요하고 ① 이 [인증번호]가 스마트폰의 인증번호와 같아야 합니다. ② 같으면 [확인]을 클릭합니다.

■ 스마트폰 설정

  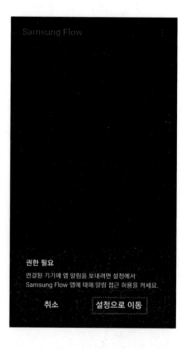

1 ① 스마트폰에서 [인증번호]가 [PC]와 같은지 확인하고 ② [확인]을 터치합니다.
2 [삼성 플로우]를 사용하려면 허용을 해야 사용할 수 있습니다. 나오는 안내대로 [앱 사용 중에만 허용], [허용]을 터치합니다. 3 알림 [권한]도 필요하니 [설정으로 이동]을 터치합니다.

1️⃣ 알림 접근 허용에서 [삼성 플로우]를 찾아서 터치합니다.

2️⃣ Samsung Flow 허용을 사용하기 위해서 [허용]을 터치합니다.

3️⃣ [알림 접근 허용]이 활성화되었습니다.

1️⃣ 스마트폰에서 [미러링]을 시작하려면 [지금 시작]을 터치합니다.

2️⃣ 스마트폰 화면이 검은 화면이 되면서 미러링 안내 문구가 나오는데 손가락으로 드래그하면 삼성 플로우 화면이 나옵니다. [홈키]를 터치합니다.

3️⃣ PC와 스마트폰의 화면이 연결되어 [미러링]된 화면이 보입니다. 스마트폰의 작은 화면을 PC에서 크게 확대해서 볼 수 있으며, PC와 스마트폰 간의 자료이동도 가능합니다.

1. 스마트폰 요금제 선택하는 법

스마트폰을 교체할 때 가장 고민이 되는 부분이 요금제 선택입니다. 여러 통신사의 다양한 서비스, 고객들의 연령과 상황에 맞게 설계된 여러 요금제 중에 나에게 맞는 요금제를 찾는 건 생각보다 쉽지 않습니다. 대부분 통신 매장에서 권유하는 요금제를 가입하는 경우가 많습니다.
각 통신사들을 다 비교해야 하는데 일일이 조건에 맞춘 요금을 찾기가 쉽지 않습니다.

최근 3사 요금제를 한눈에 비교 할 수 있는 사이트가 있어 소개하고자 합니다.
바로 [LG U+ 홈페이지 lguplus.com]입니다.
기기 선택과 **단말기 할인(공시지원금)**과 **요금 할인(선택약정)**을 모두 비교할 수가 있어 아주 편리합니다. 통신 3사 각 홈페이지에서도 요금제 조회가 가능합니다.

LTE 요금제는 단말기 선택 기준이 많지 않기 때문에 5G 요금제로 알아보겠습니다.
우선 내가 선택할 스마트폰의 제조사와 기종을 확인하고 제공되는 네트워크 서비스(5G/4G)를 선택합니다. 평소의 내 데이터 사용량을 알아보는 방법은 고객센터 어플 또는 각 통신사 직영점, 고객센터 등을 통해서 확인할 수 있습니다.
또는 현재의 스마트폰 설정 → 연결 → 데이터 사용 → 모바일 데이터 사용량 → 날짜 선택하여 월별로 사용량을 바로 조회할 수 있습니다.

■ **통신 3사 요금비교**
　　– **단말 할인 (공시지원금)**

① PC에서 [LG U+ 홈페이지 lguplus.com]를 검색하여 홈페이지에서 [모바일 요금제]의 [요금제]를 클릭합니다. ② 스크롤 해서 화면 밑으로 내려가면 [통신3사 요금비교]가 있습니다.

▶ [제조사]를 선택합니다. [삼성]을 선택해 보겠습니다.

▶ [단말기 기종]을 선택합니다.

▶ 요금 할인 혜택 중 [공시지원금]이 되는 [단말 할인]을 선택합니다.

▶ 예상 [요금제 금액]을 선택합니다. 7만 원으로 해보겠습니다.

▶ 단말기 대금의 [할부 개월]을 선택합니다. 24개월로 선택해 봅니다.

▶ [월 예상 납부 금액]이 통신 3사별로 총액을 확인할 수 있습니다.
  요금제와 할인이 된 단말 요금이 합쳐진 금액입니다.

| 고객님이 선택한 조건 | 단말할인(공시지원금) ∨ | 요금제 | 7만원 대 ∨ | 할부개월 | 24개월 ∨ |

*단말 할인과 요금 할인은 둘 중 하나만 선택해서 할인 받으실 수 있습니다. 결합 할인 및 카드혜택은 **LG U⁺**로 **구매하기** 버튼을 눌러 확인해주세요.

	ⓛLG U⁺	SKT	KT
월 예상 납부 금액	부가세 포함 **122,150원**	부가세 포함 126,580원	부가세 포함 120,980원
정상가	1,551,000원	1,551,000원	1,551,000원
단말 할인 *공시지원금	-486,000원	-386,000원	-377,000원
요금 할인 *선택약정할인	-	-	-
월요금	➕ 5G 스탠다드 75,000원	5GX 스탠다드 (신규가입불가) 75,000원	5G 심플 69,000원
월 단말기 할부금	47,150원	51,580원	51,980원
할부원금	1,065,000원	1,165,000원	1,174,000원
할부수수료	66,672원	72,944원	73,496원
부가 음성	300분	300분	300분
데이터 제공 상세설명	150GB + 무제한 5Mbps	200GB + 무제한 5Mbps	110GB + 무제한 5Mbps
요금제 기타 정보	U+ 모바일 tv 월정액 무료 제공 나눠쓰기 데이터 10GB 별도 제공	신규가입불가	데이터 투게더 공유 시 10GB데이터+무제한 200Kbps 이용 가능 Y업 혜택(스마트기기 공유데이터 10GB→20GB 제공 혜택)

▶ 상세 내용을 비교해보면 월 예상 납부 금액, 단말 할인(공시지원금), 월 요금, 월 단말기 할부금, 데이터 제공, 기타 정보 등을 통신 3사별로 비교할 수 있습니다. 현재 각 통신사의 홈페이지에서 확인해보면 월요금제가 맞는 것을 확인할 수 있습니다.

■ **요금 할인(선택 약정)**

갤럭시 Z 플립4 5G (256GB)   자세히보기

갤럭시 Z 플립4 5G (512GB)   자세히보기

갤럭시 Z 플립4 메종키츠네 에디션 (256GB)   자세히보기

갤럭시 Z 폴드4 5G (256GB)   자세히보기

▶ [제조사] 선택 후 원하는 [단말기] 기종을 선택합니다.

▶ 요금 할인 혜택을 [요금 할인(선택약정)]으로 선택합니다.

▶ 예상 [요금제 금액]을 선택합니다. 5만 원으로 선택해 봅니다.

▶ 단말기 대금의 [할부 개월]을 선택합니다. 24개월로 선택해 봅니다.

▶ 통신 3사의 [월 납부 요금]을 비교해 볼 수 있습니다.

| 고객님이 선택한 조건 | 약정할인(선택약정할인) | 요금제 | 5만원 대 | 할부개월 | 24개월 |

* 단말 할인과 요금 할인은 둘 중 하나만 선택해서 할인 받으실 수 있습니다. 결합 할인 및 카드혜택은 LG U+로 구매하기 버튼을 눌러 확인해주세요.

	LG U+	SKT	KT
월 예상 납부 금액	부가세 포함 102,620원	부가세 포함 109,920원	부가세 포함 109,920원
정상가	1,386,000원	1,551,000원	1,551,000원
단말 할인 *공시지원금	-	-	-
요금 할인 *선택약정할인	13,750원	13,750원	13,750원
월요금	5G 라이트+ 55,000원	슬림 55,000원	5G 슬림 55,000원
월 단말기 할부금	61,370원	68,670원	68,670원
할부원금	1,386,000원	1,551,000원	1,551,000원
할부수수료	86,760원	97,104원	97,104원
부가 음성	300분	300분	300분
데이터 제공 상세설명	12GB + 무제한 1Mbps	11GB + 무제한 1Mbps	10GB + 무제한 1Mbps
요금제 기타 정보	U+ 모바일 tv 월정액 무료제공	부가음성 300분 무료 기본제공량 11GB 소진 시 최대 1Mbps 속도로 무제한 이용가능	데이터 투게더 공유 시 기본제공데이터+무제한 200Kbps 이용 가능 Y덤 혜택 (스마트기기 공유데이터 기본데이터 내 사용 →10GB 제공 혜택)

▶ 선택약정이라 단말 할인은 없는 것으로 확인할 수 있습니다. 통신 3사의 주요 사항을 비교할 수 있고 다른 요금제를 다시 조회하려면 상단의 [약정할인], [요금제], [할부개월]을 클릭하시면 조건을 변경시킬 수 있고 바로 조회가 가능합니다.
요금제 변경은 월 1회 가능하며 각 통신사 고객센터 어플에서 쉽게 할 수 있습니다. 5G 요금제는 기본 55,000원 정도 되어야 데이터 제공이 10GB 이상이 됩니다. 유무선 결합이나 가족결합을 통해서도 추가 요금할인이 가능합니다.
LG U+의 [통신 3사 결합할인 비교]가 있으니 조건을 입력해 쉽게 비교할 수 있습니다. 나의 사용 패턴에 맞는 요금제를 선택하는 것이 불필요한 지출을 줄일 수 있는 방법입니다.

2. 알뜰폰을 사용했을 때 장단점

주파수를 보유한 이동통신망 사업자로부터 설비를 임대하여 이동통신 서비스를 제공하는 가상이동통신망 사업자를 흔히 [알뜰폰]이라 부릅니다. 즉 메이저 통신 3사의 통신망을 빌려서 통신사를 만들어 요금제를 판매하는 것으로 이동통신 재판매 서비스입니다.

2021년 5월 기준으로 알뜰폰 사업자는 약 60업체, 가입자 수는 2021년 11월 기준으로 1,000만 명을 넘었고 2022년 8월 약 1,200만 명을 넘기고 있습니다. 현재 통신 3사를 비롯해 은행이 직접 계열사를 차리거나 영세업체를 인수해 운영하고 있으므로 신뢰도가 높아지고 있으며 자급제 단말기 보급이 쉬워지면서 알뜰폰을 이용자가 급격히 늘어나고 있습니다.

MZ세대로 불리는 젊은 층을 기준으로 많이 사용했으나 요즘에는 약정이 끝난 이용자가 통신사를 알뜰폰으로 번호 이동하거나 개통 후 일정 기간이 지난 후 위약금을 내고서라도 알뜰폰 요금제에 가입하는 것이 더 저렴하므로 많이 이용하고 시니어들 요금제로 많이 사용하고 있습니다.

그럼 알뜰폰을 많이 사용하게 된 알뜰폰만의 장단점을 알아보고 선택할 때 참고가 될 수 있게 설명하겠습니다.

■ 알뜰폰의 장점

① 가장 큰 장점은 가격이 저렴하다는 것입니다. 메이저 통신사 대비 2분의 1 또는 그보다 더 저렴하기 때문입니다. 데이터 무제한 요금제(LTE) 기준으로 알뜰폰은 3~4만 원 수준이고 메이저 통신사 요금은 6~8만 원대입니다. 통화량이 무제한이 아니면 훨씬 많은 차이가 납니다. 사용자의 패턴에 따라 고를 수 있는 선택이 많아진 것입니다.
② 통신 3사의 망을 그대로 사용하기 때문에 안정적인 망 서비스를 제공하므로 통화품질이 그대로라서 만족도가 높습니다.
③ 약정이 없습니다. 자급제폰을 많이 사용하기 때문에 약정을 할 필요가 없고 요금제를 다양하게 선택 가능하며 바로 해지해도 위약금이 없습니다. 그리고 요금제 변경도 자유로우므로 여러 사업자의 알뜰폰 요금제를 바로 이용 가능합니다. 약정이 지난 스마트폰은 알뜰폰 요금제를 사용하면 부담이 없습니다.
④ 사용요금 신용카드 할인 혜택도 됩니다. 카드 사용 실적에 따라 할인 혜택을 제공하는 통신사가 있는데 카드 전월 실적과 저렴한 요금제를 사용한다면 사용요금을 내지 않고 스마트폰을 사용할 수도 있습니다.
⑤ 기존 번호를 그대로 사용할 수 있습니다. 신규 번호이동 또한 가능합니다.
⑥ 경쟁이 치열하므로 알뜰폰 요금제는 프로모션 행사가 많아서 더 저렴하게 이용할 수 있습니다.

■ 알뜰폰의 단점

① 교통카드 사용이 안 되는 경우가 있으니 반드시 확인하고 사용해야 합니다. NFC가 있는 유심은 사용할 수 있는데 꼭 확인을 해야 합니다.
② 고객센터와의 연결이 어렵습니다. 가입도 대면으로 거의 하지 않기 때문에 매장이 없는 경우가 많습니다. 문제가 생기면 해결하기 어려운데 그나마 통신 3사 알뜰폰 브랜드는 서비스가 좋은 편입니다.
③ 멤버십 혜택이 부족합니다. 예전에는 거의 없었으나 최근에는 있는 곳도 있으니 알아보고 가입하는 것도 좋습니다.
④ 스마트기기의 개통이 불가능합니다. 특히 갤럭시워치, 애플워치 개통이 불가하나 태블릿의 경우 데이터 쉐어링이 가능한 통신사(KT M 모바일, 리브엠 등)가 있으니 확인해야 합니다.
⑤ 결합 할인이 부족합니다. KT M 모바일, 헬로 모바일은 인터넷, TV 사업을 같이하므로 유무선 결합 할인 상품이 있으니 요금제를 비교하는 것도 좋습니다.

⑥ 해외 로밍이 불편합니다. 통신 3사의 자회사면 제공하나 선택권이 거의 없고 요금과 비교해 서비스가 부족합니다.

⑦ 긴급상황 시 위치 추적이 어렵습니다. 위치정보를 제공하더라고 통신 3사를 거쳐야 하므로 주말, 연휴에는 정말 긴급할 때는 사용할 수가 없습니다. 얼마 전 한양대 융합전자공학부 통신시스템 연구실 문희찬 교수팀이 이동통신 신호만으로도 긴급구조 요청자의 정확한 위치를 파악할 수 있는 기술(HELPS)을 개발했다고 하는데 알뜰폰에 사용하면 사고 시 대처가 빨라질 수 있을 것입니다.

요금제를 선택할 때 가장 중요한 기준은 데이터 사용량입니다. 스마트폰에서 데이터 사용량을 확인할 수 있는데 애플 아이폰은 '설정 > 셀룰러 > 사용 내용' 메뉴에서 이번 달 사용 내역을 조회할 수 있고 삼성 갤럭시폰은 '설정 > 연결 > 데이터 사용 > 모바일 데이터 사용량'에서 데이터 사용량을 조회할 수 있습니다. 평균적인 데이터 사용량을 확인한 후 요금제를 선택한다면 꼭 맞는 요금제를 찾을 수 있습니다.

현재 통신 3사 망을 사용하는 알뜰폰 업체 종류와 사용하는 패턴에 따른 요금제를 비교한 상품을 안내하고자 합니다. 요금제를 사용자의 패턴에 맞게 선택할 수 있습니다.
(안내하는 요금제는 2022년 11월 기준입니다.)

■ 음성 통화가 많은 사용자 (전화만 무제한)

통신사	요금제	데이터	전화/문자	금액
SK 7모바일	LTE유심2GB/2000분	2GB	2,000(분/건)	10,450원
KT M모바일	통화맘껏1.5GB	1.5GB	무제한(영상 30분)	7,900원
KT M모바일	통화맘껏2.5GB	2.5GB	무제한(영상 30분)	8,900원
알뜰모바일(LGU+)	유심통화마음껏데이터1.5GB	1.5GB	무제한(영상 50분)	7,800원
헬로모바일(LGU+)	The착한데이터유심1.3GB	1.3GB	무제한(영상 50분)	7,900원
스마텔(LGU+)	USIM스마트7GB+	7GB	무제한	4400원(7개월특별)
프리티	데이터안심무제한7G+1M	7GB	무제한	5940원(8개월특별)
A모바일(LGU+)	[22년11월]A스페셜7G+	7GB	무제한	5830원(8개월특별)

7개월 특별의 의미는 7개월 동안 할인 가격으로 이용할 수 있고, 7개월 차부터 메이저 4대 업체보다 비싼 가격으로 청구된다는 뜻입니다.

■ 출퇴근길 동영상 이용이 많은 소비자 (데이터만 무제한)

- 기본 데이터 제공량이 한 달에 15GB이지만, 모두 사용하면 3Mbps 속도로 사용 가능

통신사	통신망	요금제	금액
SK 7모바일	SK	LTE 유심 15GB+/100분	27,500
KT M모바일	KT	데이터 맘껏 15GB+/100분	25,300
알뜰 모바일	LGU+	유심 최강가성비 15GB+/100분	26,500
헬로 모바일	LGU+	보편 안심 유심 15GB 100분	28,820
A 모바일	LGU+	[22년 11월]A스페셜 100분/15GB+	13,200(8개월 특별)
이야기 모바일	LGU+	이야기U 데이터 15GB+	13,200(7개월 특별)
스마텔	KT	USIM 스위트 데이터 15GB+(100분)	13,200(5개월 특별)

■ 통화, 문자, 데이터 모두 무제한 이용을 원하는 소비자 (데이터 & 전화 무제한)

- 기본 데이터 제공량은 11GB이지만 모두 소진하면 매일 2GB를 사용 가능하며 이후 3Mbps 속도로 무제한 사용 가능

통신사	통신망	요금제	금액
SK 7모바일	SK	LTE 유심 (11GB+/통화맘껏)	37,400
KT M모바일	KT	모두다 맘껏 11GB+	35,200
알뜰 모바일	LGU+	유심 데이터·통화 마음껏	33,990
헬로 모바일	LGU+	The 착한 데이터 유심 11GB	33,990
A 모바일	LGU+	[22년 11월] A 스페셜 11GB+	19,800(8개월 특별)
이야기 모바일	LGU+	이야기 데이터 11GB	20,900(7개월 특별)
아이즈 모바일	KT	아이즈 11GB+	23,130(5개월 특별)
FREE T	LGU+	USIM프리티데이터중심 11G+	20,790(8개월 특별)
스마텔	KT	USIM 스위트 데이터 11GB+	19,800(5개월 특별)
리브모바일	LGU+	LTE 든든 무제한 11GB+(신)	24,800

■ 5G 데이터 이용을 무제한으로 원하는 소비자 (5G 무제한 요금제)

- 기본 데이터 소진 후 5Mbps 속도 이상으로 무제한 이용 가능한 요금제

통신사	통신망	요금제	데이터	금액
SK 7모바일	SK	5G 유심 (200GB+/통화맘껏)	200GB + 5Mbps	61,600
SK 7모바일	SK	5G 유심 (110GB+/통화맘껏)	110GB + 5Mbps	53,900
KT M모바일	KT	5G Special M	200GB + 10Mbps	59,400
KT M모바일	KT	5G Simple M	110GB + 5Mbps	47,500
알뜰 모바일	LGU+	유심 5G(180GB+)	180GB + 10Mbps	52,000
알뜰 모바일	LGU+	유심 5G(150GB+)	150GB + 5Mbps	48,800
헬로 모바일	LGU+	5G 스페셜 유심 180GB	180GB + 10Mbps	55,000
헬로 모바일	LGU+	5G 스탠다드 유심 150GB	150GB + 5Mbps	49,000
스마텔	LGU+	5G 스마트 150GB	150GB + 5Mbps	32,500(7특별)
이야기 모바일	LGU+	[5G] 이야기 스탠다드	150GB + 5Mbps	30,800(7특별)
A모바일	LGU+	[22년 10월] A 5G 스페셜	180GB + 10Mbps	45,100(7특별)

알뜰폰 요금제를 선택할 때 기기를 자급제폰으로 많이 사용합니다. 구매 시 단말기 대금을 한 번에 내야 하므로 부담스러울 수 있는데 제휴카드를 이용하면 요금을 많이 낮출 수 있습니다. 자급제폰은 선택약정으로 25% 요금할인을 받을 수 있는데 해지 시 위약금이 발생할 수 있습니다. 자급제폰은 통신사의 5.9%의 할부이자 부담이 없습니다.

(1) 보이스피싱(Voice Phishing) 무슨 뜻인가요?

'(phishing)'이란 '개인정보(private data)'와 '낚시(fishing)'를 합쳐서 만든 신조어입니다. 가짜 금융기관 웹사이트나 위장 메일을 이용해서 개인 인증 번호나 신용카드 정보, 계좌 정보 등을 불법적으로 알아내는 사이버 범죄가 바로 피싱입니다.

보이스피싱이란 '피싱에 음성(voice)'의 개념을 추가해서 만든 합성어입니다.

즉 '전화를 이용해 개인정보를 낚아 올린다는 게 바로 보이스피싱(voice phishing)'입니다.

'보이스피싱'은 언론을 중심으로 우리 사회 전반에서 널리 사용하는 단어가 되었습니다.

(2) 스미싱(Smishing) 무슨 뜻인가요?

스미싱은 문자메시지(SMS)와 피싱(Phishing)의 합성어입니다.

간단히 말해 문자 메시지를 이용하여 사기 범죄를 저지르는 것입니다.

사기범들은 '무료 쿠폰 제공', '돌잔치 초대장', '모바일 청첩장' 등의 문자메시지를 무작위로 발송합니다. 그래서 이것을 받은 사용자가 문자메시지에 링크된 인터넷 주소(URL)를 터치하도록 유도합니다.

사용자가 무심코 인터넷 주소를 클릭하면 휴대전화에 악성코드가 설치되어 휴대 전화 소액 결제가 이루어지거나 휴대전화에 저장된 전화번호와 사진 등 개인정보가 빠져나가는 유형입니다.

(3) 파밍(Pharming) 무슨 뜻인가요?

파밍(Pharming)은 피싱(Phishing)과 '변작(변조)하다'라는 뜻의 파밍(Farming)과의 합성어입니다.

피해자의 PC에 악성코드를 감염시켜 피해자가 정상적인 은행 사이트 주소로 접속하더라도 자동으로 가짜 사이트로 연결되도록 미리 정보를 변작해 두는 방법입니다.

이렇게 가짜 사이트로 연결되면 피해자는 특별한 범죄의 의심 없이 그 사이트에 보안카드, 비밀번호 같은 금융정보를 입력하게 되고, 사기범들은 이 금융정보를 이용하여 피해자의 계좌에서 예금을 이체해 편취해 가는 수법입니다.

(4) 모르는 번호로 전화가 걸려 왔다면 해결하는 방법

범죄 상담은 1332(금융감독원) : 금융상담 1332는 서민금융과 불법 사금융, 개인정보 불법 유통 피해를 지원하기 위해 금융감독원이 운영하는 콜센터입니다.

보이스피싱뿐만 아니라 고금리 사채나 불법 채권추심, 각종 서민 대출 지원, 대부업체 정보 조회 등 금융 생활에 대한 종합적인 상담과 정보 제공이 가능합니다.

특히 은행이나 저축은행, 대부업체를 자처하는 곳으로부터 싼 이자로 대출이 가능하다는 전화를 받았을 때, 전화를 끊고 꼭 1332로 전화해보세요.

금융감독원의 친절한 상담을 언제든 받을 수 있습니다.

콜센터 외에 홈페이지(vww.1332.fs.or.kr)도 운영하고 있으니, 올바른 금융 생활을 위해 방문해보기를 바랍니다.

건전한 금융 상식을 많이 얻을 수 있습니다.

보이스피싱 그 피해 여부를 알 수 있는 앱 3가지에 대하여 알아보겠습니다.

1. 시티즌코난

[시티즌코난]은 스마트폰의 보이스피싱에 악용되는 악성앱을 탐지하기 위한 악성앱 순간 탐지기입니다.

1️⃣ [Play 스토어]에서 [시티즌코난]을 검색하여 앱을 설치하고 [열기]를 터치합니다. 2️⃣ [악성앱 검사]를 터치합니다. 3️⃣ 검사결과를 보여줍니다. [전화사기 악성앱] 및 [악성앱 설치파일]이 있는 경우 보여주며 바로 삭제할 수 있습니다. 없는 경우 [의심되는 악성앱이 없습니다.]라는 메시지가 보입니다.

2. 경찰청 사이버캅

[경찰청 사이버캅]은 발신자 전화번호, URL 주소, 계좌번호를 입력하여 경찰청이 확보한 번호와 대조하여 인터넷 사기 피해 등을 예방하고 신종 사이버범죄 발생 시 경보를 통해 피해확산을 최소화하는 앱입니다.

1️⃣ [Play 스토어]에서 [경찰청사이버캅]을 검색하여 설치하고 [열기]를 터치합니다. 2️⃣ [안전거래를 위한 번호검색] 아래 입력란에 [전화번호], [계좌번호], [이메일 주소]를 입력하고 [검사 결과 내역 확인]을 터치합니다. 3️⃣ 검색 내역을 보여줍니다. 기타 [사이버범죄 신고/상담]을 할 수 있고 각종 유형의 [예방 팁]이 있습니다.

3. 더 치트

[더 치트]는 국내 최초의 금융사기 피해를 방지하며 정보를 공유하는 앱입니다.

1️⃣ [Play 스토어]에서 [더 치트]를 검색하여 어플을 설치하고 [열기]를 터치합니다. [카카오톡]으로 로그인하여 사용할 수 있습니다. 2️⃣ 안전거래를 위하여 거래하고자 하는 [연락처], [계좌번호]를 입력하고 [돋보기]를 터치합니다. [간편 조회 기능]에서 암호화폐 피해사례 조회도 할 수 있습니다. 3️⃣ 검색 결과를 기간별로 알려줍니다.

memo

1. 실시간 TV

1 [Play 스토어]에서 ① [실시간TV]를 검색합니다. [실시간 티비-TV 온에어]를 설치하고 ② [열기]를 터치합니다. **2** 상단에 실시간TV를 터치하면 200여 개의 채널이 보입니다. 원하는 채널 검색을 위해, 오른쪽 상단에 점 3개를 터치하고, 메뉴가 생성되면 [페이지에서 찾기]를 터치합니다.
3 검색창에 ① [검색어]넣으면 ② [해당 채널]이 검색됩니다. 화면에서 해당 채널을 바로 터치해도 됩니다.

 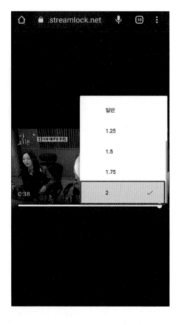

1 검색된 채널을 시청하면서 오른쪽 하단에 있는 ① [사각 아이콘]을 터치하면 큰 화면으로 전환해서 시청할 수 있습니다. ② [점 3개]를 터치하면 **2** ① [재생속도] 조절 ② [PIP 모드]를 설정할 수 있습니다. **3** 재생속도 설정은 [2배] 속도까지 설정 가능합니다. 참고로 채널에 따라 메뉴가 다르고 재생속도와 PIP 기능이 없는 채널도 있습니다.

1️⃣ 실시간 TV 시청 중 [PIP 모드]로 변환해 시청할 수 있습니다. 2️⃣ 자막 지원을 하는 채널은 [자막]을 터치합니다. 3️⃣ ① 지원된 [자막]이 화면 하단에 보이며 ② [자막 활성화] 화면 하단에서 해제할 수 있습니다. ③ 하단 우측에 [네모 아이콘]을 터치하면 화면 크게 보기로 전환됩니다. 채널에 따라 메뉴가 상이하며 재생속도와 PIP, 자막 기능이 없는 채널도 있습니다.

2. 모두의 신문

1️⃣ [Play 스토어]에서 [모두의 신문]을 검색해서 설치하고 [열기]를 터치합니다.

2️⃣ 상단에 [신문뉴스], [방송포털] 등의 메뉴가 있습니다. ① [신문뉴스]를 터치합니다. ② 하단에는 [경제], [스포츠] 등의 메뉴가 있습니다. 화면을 위, 아래로 드래그해서 뉴스를 선택해서 볼 수 있습니다. 화면을 위로 끝까지 드래그합니다. 3️⃣ ① [신문뉴스]에서 ② [모두의 신문 신문 숨김/보임]을 터치합니다.

1️⃣ 화면을 위, 아래로 드래그하며 계속 구독할 뉴스를 확인합니다. 2️⃣ ①, ② 계속 구독할 뉴스는 메뉴 항목에 보이게 하기 위하여 박스에 체크 표시를 하고 보이지 않게 할 뉴스는 체크 표시를 해제합니다. ③ [∨] 체크로 활성화하고 ④ [확인] 터치합니다. 3️⃣ [신문뉴스] 메뉴 항목에 보이게 한 뉴스만 보입니다.

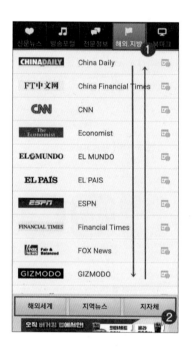

1️⃣ ① [방송포털]을 터치하면 ② [하단 메뉴] 커뮤니티, 포털정보, 쇼핑 채널이 있습니다. 특히, 쇼핑 채널은 바로 구매 가능한 웹사이트 접속됩니다. 2️⃣ ① [전문정보]를 터치하면 ② [하단 메뉴] IT/ 벤처 소식, 의료, 종교, 증권/부동산 채널이 있습니다. 특히, 코스피, 코스닥, 다우존스, 나스닥, 환율, 금 시세 등 바로 확인할 수 있어 편리합니다. 3️⃣ ① [해외. 지방]을 터치하면 ② [하단 메뉴] 해외세계, 지역뉴스, 지자체 채널이 있습니다.

■ 모두의 신문 – 북마크 (즐겨찾기) 하기

1️⃣ 계속 구독할 뉴스를 [북마크]에 저장할 수도 있습니다. 북마크에 등록할 화면 하단 […]를 터치합니다. 2️⃣ 더 보기 팝업창 상단 [북마크 저장]을 터치합니다. 3️⃣ 북마크에 저장할 ① [제목]을 변경하거나 그대로 저장할 수 있습니다. ② [저장]을 터치합니다.

3. 모두의 라디오 (전국 어디서나 전 세계 어디서나 주파수 변경 없이 청취)

1️⃣ [Play 스토어]에서 ① [모두의 라디오]을 검색해 ② [설치]하고, [열기]를 터치합니다.
2️⃣ 별도의 방송국 라디오 어플 없이 전국 127개 라디오 주파수가 지원됩니다. 화면 상단의 메뉴에서 [라디오]를 터치하고 하단에서 지역에 맞는 라디오 채널을 선택합니다.
3️⃣ ① [시작/중지] 버튼을 터치해 플레이합니다. 라디오 청취 중 전화 왔을 때는 자동으로 중지됩니다. ② [알람 시계] 버튼을 터치하면 청취 종료 예약 설정 가능합니다. ③ [♥하트] 버튼을 터치하면 즐겨찾기에 저장해 다음에 주파수 찾기 없이 바로 청취할 수 있습니다.

1️⃣ [종료 예약]을 터치하면 15분 단위와 1시간 단위로 예약 설정 가능합니다.

2️⃣ [즐겨찾기]에 저장한 방송국 채널 목록을 볼 수 있습니다.

3️⃣ [음악방송]은 개인이 운영하는 인터넷 음악 방송으로 장르, 연령대별로 선택해 다양하게 청취할 수 있는 음악 감상 채널입니다. 그리고 [뉴스]에서 신문 구독도 할 수 있습니다.

4. MBC, KBS, SBS 라디오

  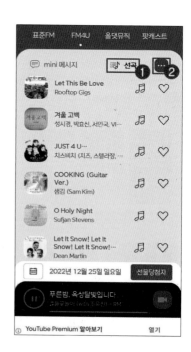

1️⃣ [Play 스토어]에서 ① [MBC mini]를 검색해서 [설치]하고 ② [열기]를 터치합니다.

2️⃣ [MBC mini]는 라디오 방송국에 엽서로 사연 보내듯 하고 싶은 이야기와 신청곡을 보낼 수 있습니다. [mini 메시지]에서는 방송을 청취하는 청취자 간에 채팅을 할 수 있습니다. 3️⃣ ① [선곡]을 터치하면 선곡 리스트를 보여줍니다. 노래 제목, 가수를 확인할 수 있으며 멜론 플랫폼과 연결되어 있어 다시 듣기도 가능합니다. ② [점 3개 더보기]를 터치하면 [편성표] 등의 메뉴가 보이며 [문자 참여]를 터치하면 문자로 신청곡과 방송에 참여할 수 있으며 문자는 정보이용료가 부과됩니다.

1 ① [플레이 버튼]을 터치해서 방송을 청취합니다. ② [비디오 버튼]을 터치하면 [보이는 라디오] 방송을 할 경우 시청할 수 있습니다.

2 KBS 라디오 [KONG 콩]을 [Play 스토어]에서 검색해서 [설치]하고 [열기]를 터치합니다. [KONG 콩]의 실행 화면이며 화면에 동시간의 채널별 방송 내용을 알려주며, 터치하면 바로 그 방송 채널로 연결됩니다. **3** 간편모드로 전환하기 위해 하단 우측에 있는 [전체메뉴]를 터치합니다.

1 [간편모드]를 터치합니다. **2** ① [채널]을 화살표 방향으로 이동하면 동시간의 다른 채널을 선택해 청취할 수 있습니다. ② [볼륨]을 + , - 으로 이동하면 소리크기를 조절할 수 있습니다. ③ [보이는 라디오]를 이용해 듣고 보고 즐기는 라디오 청취가 가능합니다. ④ [간편모드 종료하기] 메인 메뉴로 이동됩니다. **3** 즐겨 청취하는 라디오 채널을 [다시듣기] 최근 방송 순으로 노출되며 터치하면 청취 가능합니다.

1️⃣ 청취 중인 채널의 프로그램을 즐겨찾기에 추가하려면 프로그램명 좌측의 홈버튼을 터치하고 우측 [★] 터치해 활성화합니다. 2️⃣ 하단 ① [MY] 버튼을 터치하면 ② [즐겨찾기] 저장한 채널이 노출되어 있습니다. ③ [알람예약] ④ [취침예약] 설정이 가능해 원하는 시간에 청취할 수 있고, 취침할 수 있게 예약 설정을 할 수 있습니다. 3️⃣ ① [알람예약]은 요일 단위, 분 단위로 ② [반복 알람] 설정 가능합니다.

1️⃣ [Play 스토어]에서 [SBS 고릴라]를 검색하여 [설치]하고 [열기]를 터치합니다.
2️⃣ 홈 화면에서 [더보기]를 터치하고 다음에 [간편 모드]를 터치합니다.
3️⃣ 현재 방송 중인 채널에서 [보는 라디오]를 터치합니다.

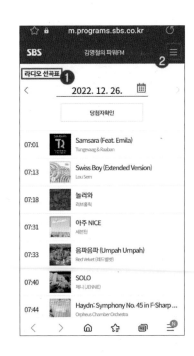

1 현재 방송 중인 채널에서 [보는 라디오]를 진행 중이면 보고 들으며 소통할 수 있습니다.

2 홈 화면에서 [더보기]를 터치하고 [편성표]를 터치합니다. 방송 채널과 날짜를 선택하고 프로그램을 선택합니다. 프로그램명의 좌측의 [선곡표]를 터치합니다.

3 ① 시간대별로 노래 제목이 보입니다. 다시 듣기는 불가능합니다. ② 선택한 프로그램의 세부 정보를 얻기 위해 상단 우측에 [≡]를 터치합니다.

1 프로그램 소개부터 게시판까지 다양한 정보를 보여줍니다. ① [다시듣기]를 터치하면 해당 채널의 코너별로 다시 듣기 구분되어 나열되어있습니다. 다른 라디오 채널과 다르게 해당 채널의 게스트 및 코너별로 ② [인스타] ③ [유튜브]를 바로 연결이 되는 편리함이 있습니다.

2 [다시듣기]를 터치하면 [저장]도 가능합니다.

3 [다시 듣기 플레이]는 전 방향 15분 또는 후 방향 15분 단위로 점프해서 다시 듣기 할 수 있습니다.

18강   나의 건강 주치의 스마트폰 건강관리 앱

1. 삼성헬스

1. 걷기, 달리기 등 각종 운동을 측정하여 기록하고 관리하며, 일일 활동의 걸음 수와 활동 시간을 자동으로 기록하고 관리할 수 있습니다.
2. 매일의 식사와 간식, 물 등을 기록 관리하여 건강한 식습관을 길러주며 수면 관리도 할 수 있습니다.
3. 갤럭시 워치와 함께 사용하면 혈압, 체성분, 스트레스 관리까지 할 수 있으며, 체중과 당뇨 수치를 입력해서 종합적인 건강관리를 할 수 있습니다.

① [Play 스토어]에서 검색창에 ① [삼성헬스]를 입력해서 ② [설치]하고, [열기]를 합니다.
② 각 정보의 수신을 받기 위해 [허용]을 터치합니다. ③ 내용을 확인하고 ① [전체]를 터치하고 ② [다음]을 터치합니다. 이어서 앱을 활용하기 위한 각 권한을 허용합니다.

memo

1 ① 삼성 계정을 선택하고 ② [확인]을 터치합니다. 2 [홈] 화면에서 ① [일일 활동] 상황을 보여주며 ② 자동으로 기록된 목표 대비 현재 [걸음 수]를 보여주며 ③ [운동]을 터치하면 각 운동의 기록을 보여줍니다. ④ 섭취한 음식의 현황을 보여주며 ⑤ 위로 드래그하면 물, 수면, 혈당, 혈압, 체중, 체성분 현황을 보여 줍니다. ⑥ 위의 [점 3개]를 터치합니다. 3 ① [항목 관리]를 터치합니다.

1 ① [-]를 터치해서 관리 항목을 삭제하거나 [+]를 터치해서 관리항목에 포함할 수 있습니다. ② [저장]을 터치합니다. 2 [위치정보]와 [운동 자동 인식]을 ② [활성화]합니다. ③ [측정 단위]를 터치합니다. 3 각 항목을 터치해서 측정 단위를 선택합니다.

1 위의 [설정] 화면에서 ④ [알림]을 터치합니다. [알림 허용]을 ① [활성화]하고 ② 알림 받는 방법을 선택합니다. ③ [알림 카테고리]를 터치합니다.

2 ① [걸음 수], ② [진행 중인 운동], ③ [운동 자동 인식]을 활성화하고 ④ 위로 드래그해서 알림 받을 항목을 활성화합니다.

3 [홈]에서 [걸음 수]를 터치하고 화면 상단의 [점 3개]를 터치합니다.

1 ① [목표 설정]을 터치해서 목표를 선택하면 ② [목표 수]가 보이며 목표 대비 걸음 수를 알 수 있습니다. **2** [운동]의 목록 선택을 위해 ① 아이콘을 터치합니다. **3** 주로 하는 운동 종목을 ① 별표를 터치해서 3개까지 화면에 보이게 할 수 있습니다 ② [운동 추가]를 터치해서 다른 종목을 추가할 수 있습니다.

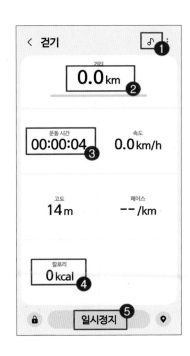

1️⃣ 직접 운동을 실시하고 기록하기 위해 [운동]의 ① [걷기]를 터치합니다.

2️⃣ ① [데이터 입력]에서 운동을 별도로 실시했을 경우 데이터를 입력할 수 있습니다. ② [음성 안내]는 거리, 시간별로 알림을 받을 수 있으며 ③ [거리, 시간] 목표를 선택해서 ④ 목표를 정합니다.

⑤ [시작]을 터치해서 운동을 시작합니다. 3️⃣ ① 기기의 음악을 들을 수 있으며, 현재 운동 중의 ② 운동 거리, ③ 운동 시간, ④ 운동 칼로리를 보여줍니다. ⑤ [일시정지]를 터치해서 정지하고 한 번 더 [종료]를 터치해서 운동을 종료합니다.

1️⃣ [홈]에서 [음식]에서 ① [입력]을 터치합니다. 2️⃣ [식사 종류]에서 ① [아침]을 선택하고, 음식과 양을 선택합니다. 3️⃣ [음식]에서 상단의 [점 3개]를 터치해서 [목표 설정]을 선택합니다. [권장 칼로리]를 보여주며, ① 일일 [목표 칼로리]를 정할 수 있습니다.

1 ① [수면]을 터치해서 직접 수면시간을 입력할 수 있고 ② [물]을 터치해서 목표량과 섭취량을 입력할 수 있고 ③ 위로 드래그해서 [혈당], [혈압], [체중]을 입력해서 관리할 수 있습니다. ④ [투게더]에서 친구를 연결해서 도전할 수 있습니다. ⑤ [피트니스]에서 각종 동영상을 볼 수 있습니다. ⑥ [내 페이지]를 터치합니다. 2 ① [편집]을 터치해서 키, 체중 등 신상정보를 입력합니다. ② 화면을 위로 드래그합니다. 3 ① 화면을 위, 아래로 드래그하며 [주간 분석]과 항목별 [최고 기록]과 [도전]을 볼 수 있습니다.

memo

2. 내가 먹는 약! 한눈에 – 건강e음 (건강보험심사평가원)

1 [Play 스토어]를 터치합니다. **2** ① 검색창에 [건평원(건강보험심사평가원)]를 입력합니다.
② [건강e음]을 설치하기 위해 [설치]를 터치합니다. **3** [건강e음]을 실행하기 위해 [열기]를 터치합니다.

1 [건강e음]을 사용하기 위해 허용 알림창의 [확인]을 터치합니다. **2** 사진 촬영, 동영상 녹화 허용 선택 창에서 [앱 사용 중에만 허용], [이번만 허용] 중 선택하여 터치합니다. **3** 통화관리 허용에 [허용]을 터치합니다.

1 ① [(필수) 서비스 이용약관]에 체크합니다. ② [동의하고 계속하기]를 터치합니다.

2 자주사용하는메뉴에서 [내 진료정보 열람]을 터치합니다.

3 ① 의료정보를 조회하려면 주민등록번호 확인창에 [주민번호]를 입력합니다. ② [로그인 선택]을 터치합니다.

1 로그인은 간편인증, 휴대폰 인증, 아이디/비밀번호 인증, 공동인증서 인증 등 사용자가 선택하면 됩니다. [간편인증]을 터치합니다.

2 예로 카카오톡으로 인증을 완료합니다.

3 내 진료 정보 열람을 보기 위해 하단에 [서비스 시작하기] 터치합니다.

1 최근 내 진료 정보가 총 진료비(건강보험 적용분), 건강보험 등 혜택 받은 금액, 내가 낸 진료비 내원 (방문)일수를 볼 수 있고, 각각의 내용을 보고자 하면 [더 자세하게 알아보기]를 터치합니다.

2 ① 개월 수 단위로 보고자 할 때 선택할 수 있고 [9개월]을 터치하면 9개월간의 기본진료, 세부진료, 처방조제를 볼 수 있습니다. ② 사용자가 보고자 하는 정보 기간은 [직접입력]을 터치하면 원하는 정보를 볼 수 있습니다. **3** [내가 먹는 약! 한눈에]를 터치합니다.

1 [내가 먹는 약! 한눈에]는 알러지 부작용 조회 및 작성, 한약 등 조회 및 작성, 의약사 열람 이력 조회, 부가정보 동의 수정 등 다양한 정보를 조회 및 작성할 수 있고 내가 먹는 약을 조회하고자 할 때 [투약이력조회] 터치합니다. **2** 3개월, 6개월, 9개월 1년 조회가 가능합니다.

3 [투약상세 이력]에서는 투여일, 약국, 약명, 약효, 함량 및 총 투약일수 열람이 가능합니다.

3. 의약품에 대한 정보를 손쉽게 검색하기 – 의약품 검색

1️⃣ [Play 스토어]를 터치합니다. 2️⃣ ① 검색창에 [의약품 검색]을 입력합니다. ② [의약품 검색]을 터치하여 [설치]합니다. 3️⃣ [의약품 검색]를 실행하기 위해 [열기]를 터치합니다.

1️⃣ [약학정보원]에 메뉴가 나타나며 메뉴 상단 첫 번째 [의약품 정보검색]을 터치합니다.
2️⃣ [의약품 정보검색]은 ① 찾고자 하는 [제품명]을 적어 넣습니다. ② 구분은 [전체]를 터치합니다. ③ [검색하기]를 터치합니다. 3️⃣ [검색]된 결과가 나타나고 찾고자 했던 약품을 터치합니다.

1️⃣ [의약품 정보검색]에서 선택한 의약품의 자세한 내용을 알고 싶을 때 [기본], [식별, 효능], [용법], [주의], [복약], [DUR(금기, 주의)] 등의 메뉴를 선택하여 정보를 볼 수 있습니다.

2️⃣ [모양으로 약 찾기]를 터치합니다. 3️⃣ ① [제형] ② [모양] ③ [색상] ④ [마크] 중 하나를 선택한 후 ⑤ [검색하기]를 터치합니다.

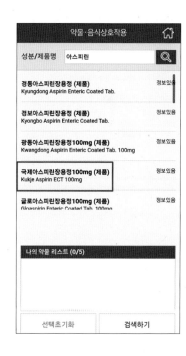

1️⃣ [약물·음식 상호작용] 메뉴를 터치합니다.

2️⃣ 섭취하고 있는 약과 음식상호작용을 알고 싶은 약을 [성분/제품명]을 입력하고 검색을 합니다.

3️⃣ 검색한 [약]의 결과를 볼 수 있습니다. 결과에서 찾고자 하는 약을 터치합니다.

1️⃣ 나의 약물 리스트는 5개를 담을 수 있습니다. 선택한 약물이 [나의 약물 리스트에] 담겼습니다. 담긴 약물을 검색합니다. 2️⃣ [약물과 음식상호작용]의 결과를 볼 수 있습니다. 3️⃣ [임신 중 약물사용]을 터치합니다.

1️⃣ 임신 중 사용한 약물의 제품명, 성분명, 회사명 등을 입력하고 DUR 임부 금기 등급 안내 및 FDA 분류를 검색할 수 있습니다. 2️⃣ 기존 의약품 검색에 없었던 신메뉴 [간편약가]를 터치합니다.
3️⃣ 사용자가 약가를 계산해서 산출할 수 있도록 새로 만들어진 메뉴입니다. (결과는 실제 수납금액과는 상이할 수 있습니다.)

4. 응급의료정보제공 (휴일과 야간에 병원 및 약국 찾기)

1️⃣ [Play 스토어]를 터치합니다.

2️⃣ ① [응급의료정보제공]을 검색합니다. ② [설치]를 터치합니다.

3️⃣ [열기]를 터치합니다.

1️⃣ [데이터 사용 알림]에 [동의] 터치합니다.

2️⃣ 위치를 찾지 못하는 경우 최근에 저장된 [위치정보 수집 안내]를 받기 위해 [확인]을 터치합니다.

3️⃣ 메시지 수신을 위한 [권한요청]에 [허용]을 터치합니다.

1️⃣ [내 주변 응급의료정보 찾기]에 찾고자 하는 의료 정보 [병의원]을 터치합니다.

2️⃣ 응급의료정보제공에서 내 기기 위치에 액세스하도록 [앱 사용 중에만 허용]을 선택하여 터치합니다. 3️⃣ 응급의료정보제공에서 전화를 걸고 관리하도록 [허용]을 터치합니다.

1️⃣ 하단 옵션 메뉴에서 [병의원]을 터치합니다.

2️⃣ 상단의 검색창에서는 [병의원 검색]을 할 수도 있습니다.

3️⃣ 지도 위에 검색된 병의원을 터치하면 더 상세한 정보를 볼 수 있습니다. [안성성모치과의원]을 터치합니다.

1️⃣ 진료시간이 종료한 곳은 운영시간은 변동될 수 있으므로, 전화 확인 후 이용하기 위해 [확인]을 터치합니다. 2️⃣ 찾은 병의원 정보를 다른 사람들과 공유하고자 할 때 하단에 [공유]를 터치합니다.
3️⃣ 카카오톡이나 페이스북, 기타 다른 SNS로 공유할 수 있습니다.

1️⃣ 찾은 [병의원]에 전화를 걸기 위해서 아랫단에 가운데 [전화]메뉴를 터치합니다.
2️⃣ 병원으로 바로 전화를 걸 수 있습니다.
3️⃣ 병원에 가기 위해서 아래 우측에 [길찾기]를 터치합니다.

1️⃣ 카카오맵으로 연결이 되고 찾은 병원까지 찾아가는 경로를 보여줍니다.

2️⃣ ① 아래 옵션 메뉴에서 [약국]을 터치합니다. ② [누르면 목록이 나타납니다.]를 터치하면 약국 목록을 볼 수 있습니다.

3️⃣ 주변의 가까운 약국의 목록이 나타납니다.

1️⃣ 아래 옵션메뉴에서 [응급처치]를 터치합니다.

2️⃣ 응급처치요령 중 기본 응급처치요령과 상황별 응급처치요령을 알려주는데 [상황별 응급처치요령]을 터치합니다.

3️⃣ 상황별 응급처치에 대한 정보들을 열람할 수 있습니다.